新完全マスター 文法

日本語能力試験

文法 N3

友松悦子・福島佐知・中村かおり 著

スリーエーネットワーク

Published by 3A Corporation.
Trusty Kojimachi Bldg., 2F, 4, Kojimachi 3-Chome, Chiyoda-ku, Tokyo 102-0083, Japan

ISBN978-4-88319-610-4 C0081

First published 2012
Printed in Japan

はじめに

　日本語能力試験は、1984年に始まった、日本語を母語としない人の日本語能力を測定し認定する試験です。受験者が年々増加し、現在では世界でも大規模の外国語の試験の一つとなっています。試験開始から20年以上経過する間に、学習者が多様化し、日本語学習の目的も変化してきました。そのため、2010年に新しい「日本語能力試験」として内容が大きく変わりました。新しい試験では知識だけでなく、実際に運用できる日本語能力が問われます。本書はこの試験のN3レベルの問題集として作成されたものです。

　まず「問題紹介」で、問題の形式とその解法を概観します。次に「実力養成編」で三つの問題形式別に、必要な言語知識を身につけるための学習をします。最後に「模擬試験」で、実際の試験と同じ形式の問題を解いてみることによって、どのくらい力がついたかを確認します。

■本書の特徴

①旧出題基準2、3級、公式サンプル、公式問題集を参考に、N3の試験で出題されると予測される項目を集積。

②初級後半、中級前半の文法形式を概観できるように編成。初級の総整理をしつつ、N2レベルにつながる学習を目指すことを示唆。

③簡潔な解説と豊富な練習問題。文章の文法の説明と練習も充実。

④個人的な学習に活用できるように、解説は英語・中国語の翻訳付き。自宅学習に最適。

　言語を必要とする課題を遂行するためには、言いたいことが伝わる文や、意味のあるまとまりを持った文章を作るための文法的知識が必要です。そのためには初級後半から中級にかけての学習をおろそかにしないで基礎を固めることが大切だと思います。

　本書が日本語能力試験N3の受験に役立つと同時に、N1、N2の受験への足掛かりになること、そして何よりも、日本語を使ってコミュニケーションする際に役立つことを願っています。

　本書を作成するにあたり、第一編集部の田中綾子さん、山本磨己子さんには鋭いご指摘とご助言を頂きました。心よりお礼申し上げます。

2012年6月　著者

目 次　Contents　目录

はじめに

本書をお使いになる方へ ix

To the user of this book xiv

致学习者 xix

問題紹介 2

Question examples 6

題目類型 10

実力養成編　Skills Development／实力养成篇

第1部　文の文法1

Part 1: Grammar in the sentence 1
第1部分　句子的语法1

意味機能別の文法形式
Grammar forms by semantic function
对语法形式的意义与功能分别进行解说

1課　〜とき 16

1．〜うちに…

2．〜間…・〜間に…

3．〜てからでないと…・

　　〜てからでなければ…

4．〜ところだ・〜ところ（＋助詞）…

2課　〜と関係して 18

1．〜とおりだ・〜とおり（に）…・

　　〜どおりだ・〜どおり（に）…

2．〜によって…・〜によっては…

3．〜たびに…

4．（〜ば）〜ほど…・（〜なら）〜ほど…・

　　〜ほど…

5．〜ついでに…

練習（1課・2課）................... 20

3課　比べれば…・〜がいちばん 22

1．〜くらいだ・〜ぐらいだ・〜くらい・

　　〜ぐらい…・〜ほどだ・〜ほど…

2．〜くらい…はない・〜ぐらい…はない・

　　〜ほど…はない

3．〜くらいなら…・〜ぐらいなら…

4．〜に限る

4課　〜とは違って 24

1．〜に対して…

2．〜反面…

3．〜一方（で）…

4．〜というより…

5．〜かわりに…

練習（3課・4課）................... 26

まとめ問題（1課〜4課）................... 28

5課　〜だから 30

1．〜ためだ・〜ため（に）…

2．〜によって…・〜による

3．〜から…・〜ことから…

4．〜おかげだ・〜おかげで…／

　　〜せいだ・〜せいで…

５．～のだから…

６課　もし、… 32

　１．～（の）なら…

　２．～ては…・～（の）では…

　３．～さえ～ば…・～さえ～なら…

　４．たとえ～ても…・たとえ～でも…

　５．～ば…・～たら…・～なら…

練習（５課・６課） 34

７課　～だそうだ 36

　１．～ということだ・～とのことだ

　２．～と言われている

　３．～とか

　４．～って

　５．～という

８課　絶対～ない・
　　　必ず～とは言えない 38

　１．～はずがない・～わけがない

　２．～とは限らない

　３．～わけではない・～というわけではない・
　　　～のではない

　４．～ないことはない

　５．～ことは～が、…

練習（７課・８課） 40

まとめ問題（１課～８課） 42

９課　～と望む 44

　１．～てもらいたい・～ていただきたい・
　　　～てほしい

　２．～（さ）せてもらいたい・
　　　～（さ）せていただきたい・
　　　～（さ）せてほしい

　３．～といい・～ばいい・～たらいい

10課　～したほうがいい・～なさい 46

　１．命令（しろ）／禁止（～な）

　２．～こと

　３．～べきだ・～べき／～べきではない

　４．～たらどうか

練習（９課・10課） 48

11課　～（よ）うと思う 50

　１．～ことにする・～ことにしている

　２．～ようにする・～ようにしている

　３．～（よ）うとする

　４．～つもりだ

12課　敬語　Honorific language／敬语 52

　１．尊敬語　Respectful language／尊他语

　２．謙譲語１　Humble language (1)／自谦语１

　３．謙譲語２　Humble language (2)／自谦语２

　４．丁寧語　Polite language／礼貌语

練習（11課・12課） 54

まとめ問題（１課～12課） 56

文法形式の整理
Ensuring correct use of grammar forms
语法形式的整理

A　いろいろな働きをする助詞 58
　　The various uses of particles
　　功能多样的助词

　　ワンポイントレッスン

　　「も」と「しか」、「ぐらい・くらい」と「まで」

B　助詞のような働きをする言葉 62
　　Words that work like particles
　　具有助词功能的形式

　　1．〜について…
　　2．〜に対して…・〜に対する
　　3．〜によって…
　　4．〜にとって…
　　5．〜として…

　　ワンポイントレッスン

　　「〜について」と「〜に対して」と「〜にとって」

C　「こと・の」の使い方 66
　　The various uses of こと and の
　　「こと・の」的用法

　　ワンポイントレッスン

　　「物」と「こと」

D　「よう」のいろいろな使い方 70
　　The various uses of よう
　　「よう」的各种用法

　　1．〜（かの）ようだ・〜のようだ・
　　　　〜（かの）ように…・〜のように…

　　2．〜ように…
　　3．〜ように…
　　4．〜ように…・〜ようにと…・〜よう…

　　ワンポイントレッスン

　　「〜ように」と「〜ために」

E　「わけ」のいろいろな使い方 74
　　The various uses of わけ
　　「わけ」的各种用法

　　1．〜わけだ・〜というわけだ
　　2．〜わけにはいかない
　　3．〜ないわけにはいかない

　　ワンポイントレッスン

　　「〜はずだ」と「〜わけだ」

まとめ問題（A〜E）................................. 78

F　「ばかり」のいろいろな使い方 80
　　The various uses of ばかり
　　「ばかり」的各种用法

　　1．〜ばかり…
　　2．〜てばかりいる
　　3．〜ばかりでなく…
　　4．〜ばかりだ
　　5．〜たばかりだ

　　ワンポイントレッスン

　　「〜たばかり」と「〜たところ」

G 「する・なる」の整理(せいり) 84
　する and なる
　「する・なる」用法小结

ワンポイントレッスン

「〜ようにしている」と「〜ようになっている」

H 「たら・ば・と・なら」の
　特別(とくべつ)な使(つか)い方(かた) 88
　Special uses of たら, ば, と and なら
　「たら・ば・と・なら」的特殊用法

　1．〜と…た・〜たら…た

　2．〜と…た

　3．〜も…ば〜も…・〜も…なら〜も…

ワンポイントレッスン

仮定(かてい)を表(あらわ)す「〜たら…・〜ば…・〜と…」の注意(ちゅうい)

I 後(あと)に決(き)まった表現(ひょうげん)が来(く)る副詞(ふくし) 92
　Adverbs followed by fixed grammatical forms
　要求有固定形式与之共现的副词

J 動詞(どうし)や名詞(めいし)の意味(いみ)を広(ひろ)げる
　文法形式(ぶんぽうけいしき) 96
　Grammatical forms that broaden the meaning of verbs
　and nouns
　接在动词、名词后表示某种意义的语法形式

ワンポイントレッスン

「〜らしい」と「〜のようだ・〜みたいだ」

まとめ問題(もんだい)（A〜J） 100

第2部(だいぶ)　文(ぶん)の文法(ぶんぽう)2

Part 2: Grammar in the sentence 2
第2部分　句子的语法2

1課(か) 文(ぶん)の組(く)み立(た)て−1　引用(いんよう) 104
　Sentence structure - 1: Quotation and citation
　句式结构−1　引用

2課(か) 文(ぶん)の組(く)み立(た)て−2　名詞(めいし)の説明(せつめい) .. 106
　Sentence structure - 2: Noun modification
　句式结构−2　对某个名词进行解释

3課(か) 文(ぶん)の組(く)み立(た)て−3
　「〜という・〜といった」 108
　Sentence structure - 3: 〜という and 〜といった
　句式结构−3　「〜という・〜といった」

4課(か) 文(ぶん)の組(く)み立(た)て−4　決(き)まった形(かたち) .. 110
　Sentence structure - 4: Fixed patterns
　句式结构−4　固定用法

まとめ問題(もんだい)（1課(か)〜4課(か)） 112

第3部(だいぶ)　文章(ぶんしょう)の文法(ぶんぽう)

Part 3: Grammar in longer text
第3部分　文章的语法

1課(か) 文(ぶん)の始(はじ)めと終(お)わりの対応(たいおう) 116
　Ensuring the beginning and end of a sentence
　correspond
　句式的前后呼应

2課(か) 時制(じせい)・〜ている 118
　Tense and 〜ている
　时态和「〜ている」

まとめ問題(もんだい)（1課(か)・2課(か)） 120

3課　話者が見る位置を動かさない手段－1
　　　他動詞・自動詞 122
Ways of ensuring a consistent speaker standpoint: 1.
Transitive and intransitive verbs
与说话人的视点有关的语法范畴－1
他动词和自动词

4課　話者が見る位置を動かさない手段－2
　　　～てくる・～ていく 124
Ways of ensuring a consistent speaker standpoint: 2.
～てくる and ～ていく
与说话人的视点有关的语法范畴－2
「～てくる・～ていく」

まとめ問題（3課・4課） 126

5課　話者が見る位置を動かさない手段－3
　　　受身・使役・使役受身 128
Ways of ensuring a consistent speaker standpoint: 3.
Passive, causative and causative-passive
与说话人的视点有关的语法范畴－3
被动・使役・使役被动

6課　話者が見る位置を動かさない手段－4
　　　～てあげる・～てもらう・～てくれる
.... 130
Ways of ensuring a consistent speaker standpoint: 4.
～てあげる, ～てもらう and ～てくれる
与说话人的视点有关的语法范畴－4
「～てあげる・～てもらう・～てくれる」

まとめ問題（5課・6課） 132

7課　こ・そ・あ 134

8課　は・が 136

まとめ問題（7課・8課） 138

9課　接続表現 140
Conjunctive terms
连词

10課　文章の雰囲気の統一 142
Ensuring a unified tone
篇章的上下文要统一

まとめ問題（9課・10課） 144

模擬試験　Mock Test／模拟试题

第1回 148
第2回 152

索引　Index／索引 156

別冊　解答　Answers／答案用书

本書をお使いになる方へ

■本書の目的

この本の目的は二つです。

①日本語能力試験Ｎ３の試験に合格できるようにします。

②試験対策だけでなく、全般的な「文法」の勉強ができます。

■日本語能力試験Ｎ３文法問題とは

日本語能力試験Ｎ３は、「言語知識（文字・語彙）」（試験時間30分）「言語知識（文法）・読解」（試験時間70分）と「聴解」（試験時間40分）の三つに分かれていて、文法問題は「言語知識（文法）・読解」の一部です。文法問題は３種類あります。

Ⅰ　文の文法１（その文に適切に当てはまる文法形式を選ぶ問題）

Ⅱ　文の文法２（文を正しく組み立てる問題）

Ⅲ　文章の文法（まとまりを持った文章にするための適切な言葉を選ぶ問題）

■本書の構成

この本は、以下のような構成です。

問題紹介

実力養成編　第１部　文の文法１

　　　　　　　　・意味機能別の文法形式（１課～12課）

　　　　　　　　・文法形式の整理（Ａ～Ｊ）

　　　　　　第２部　文の文法２（１課～４課）

　　　　　　第３部　文章の文法（１課～10課）

模擬試験

詳しい説明をします。

問題紹介　　問題形式別の解き方を知り、全体像をつかんでから学習を始めます。

実力養成編　第１部　文の文法１

　　　　　1課～12課：Ｎ３レベルで出題が予想される文法形式を意味機能別に学習します。（どんな意味か、どんな文法的性質を持っているか、どんな場面で使うかなど）

　　　　　　　・２課ごとに確認の練習問題（ａ～ｃの中から最もよいものを選ぶ形式）

　　　　　　　・４課ごとに学習した課までのまとめ問題（実際の試験と同じ形式）

$\boxed{\text{A〜J}}$：文法形式を整理して学習します。また、間違えやすい点を「ワンポイントレッスン」で確認します。

- 各課に確認の練習問題（いろいろな形式）
- 5課ごとに学習した課までのまとめ問題（実際の試験と同じ形式）

第2部　文の文法2

文を組み立てるために必要な知識を学習します。（ある人の言葉を文の中に入れ込む形・名詞を修飾するときの決まった形・決まった組み合わせになる文法形式など）

- 各課に確認の練習問題（実際の試験と同じ形式）
- 4課分のまとめ問題（実際の試験と同じ形式）

第3部　文章の文法

まとまりのある文章にするための手段を学習します。（文の始めと終わりが正しく対応した構造の文、指示語、接続表現、視点を統一するための文法形式など）

- 2課ごとにまとめ問題（実際の試験と同じ形式）

模擬試験　実際の試験と同じ形式の問題です。実力養成編で学習した広い範囲から問題を作ってありますから、総合的にどのぐらい力がついたかを確認することができます。

■凡例

文を作るときは、それぞれの文法形式に合うように、前に来る語の形を整えなければなりません。
接続の形：

品詞	接続する形	例
動詞	動 ない形	歩けない　＋ことはない（第1部8課）
	動 ~~ない~~	帰ら　＋せていただきたい（第1部9課）
	動 ~~ます~~	わかり　＋やすい（第1部J）
	動 辞書形	電話をかける　＋たびに（第1部2課）
	動 ば形	聞けば　＋いい（第1部9課）
	動 ~~ば~~	走れ（第1部10課）
	動 う・よう形	出よう　＋とする（第1部11課）
	動 て形	手伝って　＋もらいたい（第1部9課）
	動 た形	買った　＋ばかりだ（第1部F）

	動 たら	休んだら ＋どうか (第1部10課)	
	動 ている	昼寝をしている ＋間に (第1部1課)	
	動 てある	書いてある ＋とおり (第1部2課)	
イ形容詞	イ形 い	明るい ＋うちに (第1部1課)	
	イ形 い -くて	高くて ＋も (第1部6課)	
	イ形 い -ければ	多ければ (第1部6課)	
ナ形容詞	ナ形 な	元気な ＋うちに (第1部1課)	
	ナ形 な -で	面倒で ＋も (第1部6課)	
	ナ形 なら	丈夫なら (第1部6課)	
名詞	名	国 ＋によって (第1部2課)	
	名 の	留守の ＋間 (第1部1課)	
	名 で	学生で ＋も (第1部6課)	
	名 なら	学生なら (第1部6課)	
その他	普通形	優勝するだろう ＋と言われている (第1部7課)	
	普通形(例外)		
	ナ形 だ -な	気楽な ＋反面 (第1部4課)	
	ナ形 だ -である	複雑である ＋わけがない (第1部8課)	
	名 だ -の	休みの ＋はずがない (第1部8課)	
	名 だ -な	子どもな ＋のだから (第1部5課)	
	名 だ -である	無料である ＋はずがない (第1部8課)	
	名 する -の	散歩の ＋ついでに (第1部2課)	

(注) 名 する ：名詞に「する」がつく動詞(散歩する、見学するなど)の名詞部分「散歩、見学」

接続のし方：

例1 「～によって…・～によっては…」(第1部2課)

✎ 名 ＋によって・によっては

①名詞に接続します。
例・国によって習慣が違う。

例2 「～はずがない・～わけがない」(第1部8課)

> 🐛 普通形 (ナ形 だ -な／-である・名 だ -の／-である) ＋はずがない・わけがない

①普通形に接続します。

例 ・ちゃんと約束したんだから、彼が**来ない**はずがない。

・こんなに大きい家、わたしに**買える**わけがないでしょう。

②ただし、ナ形容詞 と 名詞 の現在肯定形は「～だ」の形ではなく、「～な」「～である」「～の」の形に接続します。

例 ・木村さんが今**ひまな**はずがない。

・子どものおもちゃがそんなに**複雑である**わけがない。

・あの店が今日**休みの**はずはありません。

＊「～な」を使うか「～である」を使うかは、その文の硬さで決まることが多いです。

＊ナ形容詞と名詞の現在肯定形の「～だ」を省略することがある場合は、(だ)と書いてあります。

＊この本では、あまり使わない接続のし方は書いてありません。

■解説で使っている記号と言葉

記号	意味
🐛	接続のし方
☞	文法形式の意味と、使い方の注意
→第○部○課	同じ形の文法形式がある課

☞ の中で使っている次の言葉は文法的な性質を学習するときの大切な言葉です。

言葉	意味
話者の希望・意向を表す文	「～たい・～(よ)うと思う・～つもりだ」など、話者があることをする気持ちを持っていることを表す文
働きかけの文	「～てください・～ましょう・～ませんか」など、話者が相手に何かをするように言う文

■表記

基本的に常用漢字（1981年10月内閣告示）にあるものは漢字表記にしました。ただし、著者らの判断でひらがな表記の方がいいと思われるものは例外としてひらがな表記にしてあります。例文も解説もすべてふりがなをつけてあります。

■学習時間

授業で使う場合の1課の授業時間の目安は以下のとおりです。ただし、ゆっくり進むかスピードアップするかによって時間数を加減することはできるでしょう。個人で学習する場合は、自分の学習スタイルに合わせて時間数を調整してください。

　　第1部：1課につき　　　50分授業×2コマ
　　第2部：1課につき　　　50分授業×1コマ
　　第3部：1課につき　　　50分授業×2コマ

To the user of this book

■ Aim of the book

This book has two purposes. It will help you to:

① Pass the Japanese Language Proficiency Test for N3, and

② Gain a better overall understanding of Japanese grammar, without just focusing on exams.

■ What grammar questions will be asked in 日本語能力試験N3 (Japanese Language Proficiency Test for N3)?

The Japanese Language Proficiency Test for N3 is divided into three parts: 言語知識（文字・語彙）Language Knowledge (Vocabulary): 30 minutes; 言語知識（文法）・読解 Language Knowledge (Grammar) and Reading: 70 minutes; and 聴解 Listening Comprehension: 40 minutes. Grammar comes under 言語知識（文法）・読解. There are three kinds of question.

    I   文の文法１: Selection of the correct grammatical form for a particular sentence,

    II 文の文法２: Questions on composing sentences correctly, and

    III 文章の文法: Questions in which you must choose the appropriate word(s) to create a cohesive

               passage.

■ How this book is structured

This book comprises the following parts.

問題紹介 (Question examples)

実力養成編 (Skills Development)

        第１部　文の文法１ (Part 1: Grammar in the sentence 1)

               ・Grammar forms by semantic function (1-12)

               ・Ensuring correct use of grammar forms (A-J)

        第２部　文の文法２ (Part 2: Grammar in the sentence 2 (1-4))

        第３部　文章の文法 (Part 3: Grammar in longer text (1-10))

模擬試験 (Mock Test)

A detailed explanation follows.

問題紹介 (Question examples)

    First you will look at the different question formats, and gain a general understanding of them.

実力養成編 (Skills development)

第１部　文の文法１ (Part 1: Grammar in the sentence 1)

1-12 : You will study grammatical forms expected to feature at N3 level, by semantic function. (In other words, what is the meaning, what are their grammatical properties, and in what situations should they be used?)

- Drills every two sections (choose the best answer from among a-c)
- Recapitulation questions every four sections (same format as the actual exam).

A-J : Here you study the correct use of grammar forms through phrase arrangement. Areas where mistakes are easily made are dealt with using one-point lessons.

- Drills in all sections (various formats)
- Recapitulation questions every five sections (same format as actual exam).

第2部　文の文法2 (Part 2: Grammar in the sentence 2)

Here you study the skills needed to form sentences (including grammatical forms for inserting another person's words into a sentence, fixed forms for modifying nouns and grammatical forms for fixed structures).

- Drills in all sections (same format as actual exam)
- Recapitulation question for all four sections (same format as actual exam).

第3部　文章の文法 (Part 3: Grammar in longer text)

You will study methods for forming internally cohesive passages (including terms used to correctly structure sentences from beginning to end, demonstratives, conjunctive expressions and grammatical forms for harmonization of standpoint).

- Recapitulation questions every two sections (same format as actual exam).

模擬試験 (Mock Test)

The questions use the same format as in the actual examination. Because questions are drawn from a wide range of topics from the Skills Development section, they enable a comprehensive judgment of ability.

■ Usage notes

When forming sentences, it is essential to ensure that grammatical forms agree, and take account of what follows.

Conjunctive forms:

Part of speech	Conjunctive form	Example
Verb	動 ない形	歩けない　＋ことはない (Part 1-8)
	動 ~~ない~~	帰ら　＋せていただきたい (Part 1-9)
	動 ~~ます~~	わかり　＋やすい (Part 1-J)
	動 辞書形	電話をかける　＋たびに (Part 1-2)
	動 ば形	聞けば　＋いい (Part 1-9)
	動 ~~ば~~	走れ (Part 1-10)
	動 う・よう形	出よう　＋とする (Part 1-11)
	動 て形	手伝って　＋もらいたい (Part 1-9)
	動 た形	買った　＋ばかりだ (Part 1-F)

	動 たら	休んだら　＋どうか (Part 1-10)
	動 ている	昼寝をしている　＋間に (Part 1-1)
	動 てある	書いてある　＋とおり (Part 1-2)
イ -adjective	イ形 い	明るい　＋うちに (Part 1-1)
	イ形 い -くて	高くて　＋も (Part 1-6)
	イ形 い -ければ	多ければ (Part 1-6)
ナ -adjective	ナ形 な	元気な　＋うちに (Part 1-1)
	ナ形 な -で	面倒で　＋も (Part 1-6)
	ナ形 なら	丈夫なら (Part 1-6)
Noun	名	国　＋によって (Part 1-2)
	名 の	留守の　＋間 (Part 1-1)
	名 で	学生で　＋も (Part 1-6)
	名 なら	学生なら (Part 1-6)
Other	普通形	優勝するだろう　＋と言われている (Part 1-7)
	普通形 (Exceptions)	
	ナ形 だ -な	気楽な　＋反面 (Part 1-4)
	ナ形 だ -である	複雑である　＋わけがない (Part 1-8)
	名 だ -の	休みの　＋はずがない (Part 1-8)
	名 だ -な	子どもな　＋のだから (Part 1-5)
	名 だ -である	無料である　＋はずがない (Part 1-8)
	名 する -の	散歩の　＋ついでに (Part 1-2)

(Note)：名 する ：The noun element of verbs comprising nouns taking する (such as 散歩する and 見学する), is 散歩 or 見学.

Conjunctive forms:

Ex.1 「～によって…・～によっては…」(Part 1-2)

名 ＋によって・によっては

① Added to the noun:

Ex.・国によって習慣が違う。

Ex.2 「〜はずがない・〜わけがない」(Part 1-8)

〰 普通形（ナ形 だ -な／-である・名 だ -の／-である）　＋はずがない・わけがない

① Attached to plain forms.

Ex. ・ちゃんと約束（やくそく）したんだから、彼（かれ）が**来ないはずがない。**

・こんなに大（おお）きい家（いえ）、わたしに**買（か）えるわけがない**でしょう。

② However, present-tense affirmative forms using ナ adjectives and nouns do not use the 〜だ form, but take 〜な, 〜である and 〜の forms.

Ex. ・木村（きむら）さんが今（いま）**ひまなはずがない。**

・子（こ）どものおもちゃがそんなに**複雑（ふくざつ）であるわけがない。**

・あの店（みせ）が今日（きょう）**休（やす）みのはずはありません。**

＊ Whether you use 〜な or 〜である often depends on the formality of the sentence.

＊ In cases where the 〜だ of a present-tense affirmative form using a ナ-adjective and a noun is omitted, だ is written in brackets (だ).

＊ This book does not cover conjunctive forms that are rarely used.

■ Special symbols and terms used in explanatory text.

Symbol	Meaning
〰	Indicates a conjunctive or connecting form and usage directions.
☛	Take note of grammatical function and usage.
→第○部○課（だい ぶ か）	Indicate other parts or sections of the book in which the same type of grammar form is treated.

The following terms used in ☛-marked material are important in the study of grammatical properties.

Term	Meaning
話者（わしゃ）の希望（きぼう）・意向（いこう）を表（あらわ）す文（ぶん）	These expressions (such as 〜たい, 〜（よ）うと思（おも）う and 〜つもりだ) convey the speaker's wish or intention to do something.
働（はたら）きかけの文（ぶん）	These expressions (such as 〜てください, 〜ましょう and 〜ませんか) are used when the speaker is trying to induce another person to an action.

■ Transcription

Kanji (Chinese characters) included in the list of Joyo kanji officially approved by the Japanese Cabinet Office in October 1981 are used in this book. However, hiragana are used exceptionally when, in the opinion of the writer, this is preferable. Furigana are provided in all cases for both example sentences and explanations.

■ Study time

Study times are as shown below. However, teachers could slow down or speed up the pace of study for some sections. Those studying alone should take as much time as they feel comfortable with.

Part 1: 50-minute class × 2 for one section

Part 2: 50-minute class × 1 for one section

Part 3: 50-minute class × 2 for one section

致学习者

■本书的目的

编写本书的目的有以下两点：

①使学习者具备通过日本语能力测试N3级的能力。

②不仅提供考试对策，而且提高学习者全面的"语法"能力。

■日本語能力試験Ｎ３（日本语能力测试N3级）语法试题

日本语能力测试N3级分为「言語知識（文字・語彙）（语言知识（文字・词汇））」（考试时间30分钟）、「言語知識（文法）・読解（语言知识（语法）・阅读）」（考试时间70分钟）和「聴解（听力）」（考试时间40分钟）三大部分，语法试题是「言語知識（文法）・読解」中的一部分。语法试题又分为以下三个部分：

Ⅰ　文の文法1（选择适合句子的语法形式）

Ⅱ　文の文法2（组合句子）

Ⅲ　文章の文法（选择恰当的语法形式完成文章）

■本书的构成

本书由以下部分构成：

問題紹介（题目类型）

実力養成編（实力养成篇）

　　第1部　文の文法1（第1部分　句子的语法1）

　　　　　・对语法形式的意义与功能分别进行解说（1～12课）

　　　　　・语法形式的整理（A～J）

　　第2部　文の文法2（第2部分　句子的语法2）（1～4课）

　　第3部　文章の文法（第3部分　文章的语法）（1～10课）

模擬試験（模拟试题）

下面进行详细说明。

問題紹介（题目类型）

　了解各类题型的答题方法，帮助考生在开始学习前对考试有一个整体的把握。

実力養成編（实力养成篇）

第1部　文の文法1（第1部分　句子的语法1）

1课～12课：学习考试中可能出现的相当于N3级的语法形式的意义与功能。通过例句和解说

学习这些语法形式的意思和特性、了解这些语法形式的上下文语境。每2课包含练习题（从 a ～ c 选择最佳答案）供检测使用。同时，每4课后有与实际考试形式相同的总结性练习题。

A～J： 对语法形式按照一定依据进行分类和整理来学习。对一些容易混淆或出错的语法形式进行要点说明并附相应练习。每课包含各种形式的练习题，同时，每5课后有与实际考试形式相同的总结性练习题。

第2部 文の文法2（第2部分 句子的语法2）

学习组成句子所必备的语法知识。从多个角度，如：表示引用的语法形式、起名词修饰作用的语法形式、具有固定搭配方式的语法形式，对语法知识进行解释和说明。这个部分每课后及最后有与实际考试形式相同的练习题及总结性练习题。

第3部 文章の文法（第3部分 文章的语法）

学习构成完整的文章的方法。通过学习起到文章前后呼应作用的句子、指示语、接续表达、统一视点的语法形式，使文章富有调理。每2课包含与实际考试形式相同的总结性练习题。

模擬試験（模拟试题）

采取和实际考试相同的出题形式。试题根据包含了N3级内容在内的实力养成篇中学到的知识而设计，范围十分广泛。用以全面检测学习者对语法知识的掌握情况。

■凡例

在造句的时候，必须要调整前面词语的形式以便使其与各个句型相符。

本书中的接续形式表示如下；

词性	接续形式	例子
动词	動 ない形	歩けない ＋ことはない（第1部分8课）
	動 ~~ない~~	帰ら ＋せていただきたい（第1部分9课）
	動 ~~ます~~	わかり ＋やすい（第1部分J）
	動 辞書形	電話をかける ＋たびに（第1部分2课）
	動 ば形	聞けば ＋いい（第1部分9课）
	動 ~~ば~~	走れ（第1部分10课）
	動 う・よう形	出よう ＋とする（第1部分11课）
	動 て形	手伝って ＋もらいたい（第1部分9课）
	動 た形	買った ＋ばかりだ（第1部分F）
	動 たら	休んだら ＋どうか（第1部分10课）

	動 ている	昼寝をしている　＋間に（第1部分1課）	
	動 てある	書いてある　＋とおり（第1部分2課）	
イ形容词	イ形 い	明るい　＋うちに（第1部分1課）	
	イ形 い -くて	高くて　＋も（第1部分6課）	
	イ形 い -ければ	多ければ（第1部分6課）	
ナ形容词	ナ形 な	元気な　＋うちに（第1部分1課）	
	ナ形 な -で	面倒で　＋も（第1部分6課）	
	ナ形 なら	丈夫なら（第1部分6課）	
名词	名	国　＋によって（第1部分2課）	
	名 の	留守の　＋間（第1部分1課）	
	名 で	学生で　＋も（第1部分6課）	
	名 なら	学生なら（第1部分6課）	
其他	普通形	優勝するだろう　＋と言われている（第1部分7課）	
	普通形（例外）		
	ナ形 だ -な	気楽な　＋反面（第1部分4課）	
	ナ形 だ -である	複雑である　＋わけがない（第1部分8課）	
	名 だ -の	休みの　＋はずがない（第1部分8課）	
	名 だ -な	子どもな　＋のだから（第1部分5課）	
	名 だ -である	無料である　＋はずがない（第1部分8課）	
	名 する -の	散歩の　＋ついでに（第1部分2課）	

(注) 名 する：名词后接「する」的动词（散歩する、見学する等）的名词部分是「散歩、見学」

接続方法：

例1　「～によって…・～によっては…」（第1部分第2課）

　　🐛🐛 名 ＋によって・によっては

①接在名词后面。
　　例・国によって習慣が違う。

例2 「〜はずがない・〜わけがない」（第１部分第８課）

    ∞ 普通形（ナ形<del>だ</del> -な／-である・名<del>だ</del> -の／-である）　＋はずがない・わけがない

①接在普通形后面。

  例 ・ちゃんと約束（やくそく）したんだから、彼（かれ）が**来ない**はずがない。

    ・こんなに大（おお）きい家（いえ）、わたしに**買（か）える**わけがないでしょう。

②但是，接ナ形容词和名词的现在肯定形时，不接「〜だ」后面，而是接在「〜な」「〜である」「〜の」后面。

  例 ・木村（きむら）さんが今（いま）**ひまな**はずがない。

    ・子（こ）どものおもちゃがそんなに**複雑（ふくざつ）である**わけがない。

    ・あの店（みせ）が今日（きょうやす）**休みの**はずはありません。

＊是使用「〜な」还是使用「〜である」，要视说话的场合而定，在正式的场合中，经常使用「〜である」。

＊省略了ナ形容词和名词的现在肯定形「〜だ」的情况下，用（だ）来表示。

＊在本书中，不会出现不常使用的接续法。

■在解说中使用的符号和说法

符号	含义
∞	接续方法
☞	对语法形式的意思及用法的说明
→第○部○課	表示同样的语法形式见第○部分第○课

☞ 中出现的下列说法在学习语法特性时十分重要。

说法	含义
話者（わしゃ）の希望（きぼう）・意向（いこう）を表（あらわ）す文（ぶん）	「〜たい・〜（よ）うと思（おも）う・〜つもりだ」等表示说话人愿望或意志的句子
働（はたら）きかけの文（ぶん）	「〜てください・〜ましょう・〜ませんか」等说话人向对方提出命令或建议的句子

■表记

基本的常用汉字（1981年10月日本内阁通告）用汉字书写。但是，作者认为用平假名书写更为恰当的则作为例外用平假名书写。例句部分和解说部分对所有的汉字均标注了读音。

■学习实践

每一课的大致学习时间建议如下。但是，可根据实际情况来放慢或加快学习速度。自主学习者可按照自己的学习方式来调整学时数。

第1部分：每课　50分钟的课程×2节

第2部分：每课　50分钟的课程×1节

第3部分：每课　50分钟的课程×2节

<ruby>問<rt>もん</rt>題<rt>だい</rt>紹<rt>しょう</rt>介<rt>かい</rt></ruby>

問題紹介

文の意味を考え、それに合う文法形式を判断する問題です。

つぎの文の（　　　　）に入れるのに最もよいものを、1・2・3・4から一つえらびなさい。

【例題1】

米は多くの国で主食（　　　　）食べられている。

① として　　　　　2 に対して　　　　　3 によって　　　　　4 にとって

【例題2】

妻「うーん。おなかが痛い。」

夫「がまんできない（　　　　）、病院へ行ったほうがいいよ。」

1 までなら　　　　② ほどなら　　　　　3 までには　　　　　4 ほどには

【例題1】では、（　　　）の前後のことがら（「主食」と「食べられている」）の関係を考えます。「米」は「主食」と考えられて「食べられている」ので、正しい答えは「1　として」です。

【例題2】のように、文法形式の組み合わせが問われることもあります。会話形式の問題では、会話の相手の文が、どんな文を作ればいいかを考える手がかりになります。（　　　）の前の「がまんできない」は妻が言っている痛さの程度を表すので、「〜ほどだ」という文法形式が合います。また、（　　　）の後は妻の様子を見た夫の判断を言っている文なので、「〜なら」が合います。ですから、正しい答えは「〜ほどだ」と「〜なら」の組み合わせの「2　ほどなら」です。

このタイプの問題では、文法形式の意味機能や接続の形を正確に知っていることが大切です。

この部分については「実力養成編　第1部　文の文法1」で詳しく学習します。

Ⅱ　文の文法２（文の組み立て）

　いくつかの語句を並べ替えて、文法的に正しく、意味がわかる文を作る問題です。四つの選択肢のうち★の位置になるものを選びます。★の位置は、3番目以外のこともあります。

つぎの文の　★　に入る最もよいものを、1・2・3・4から一つえらびなさい。

【例題3】

　　この仕事を＿＿＿　＿＿＿　★　＿＿＿考えよう。

　　1　どうやって　　②　いいのか　　　3　いったら　　　4　進めて

【例題4】

　　A「来週の天気はどうでしょうね。」

　　B「火曜日＿＿＿　＿＿＿　★　＿＿＿という予報ですよ。」

　　1　寒くなる　　　2　木曜日　　　③　にかけて　　　4　から

　【例題3】の下線の部分には、選択肢に「1　どうやって」があるので、「2　いいのか」をいっしょに使って「どうやって〜か」という疑問文を作ることがわかります。残っている「3　いったら」「4　進めて」と組み合わせると、「この仕事をどうやって進めていったらいいのか考えよう」という文ができるので、★の位置になるのは「3　いったら」です。

　【例題4】は会話形式の問題です。選択肢の中の「4　から」と「3　にかけて」に注目すると、「〜から〜にかけて…」という文法形式を使った文を作ることがわかります。「から」の前にも「にかけて」の前にも名詞が来るので、「火曜日から木曜日にかけて寒くなるという予報ですよ」という文ができます。★の位置になるのは「3　にかけて」です。

　このタイプの問題では「第1部　文の文法1」で学ぶ表現の意味機能だけでなく、

・その文法形式につく品詞

・組み合わせになる表現

などを知っていることが大切です。

　この部分については「実力養成編　第2部　文の文法2」で詳しく学習します。

まとまった長さの文章の中で、その文脈に合う文法形式などを選ぶ問題です。
・文法的に正しい文にするための言葉を選ぶ問題
・まとまりがある文章にするための言葉を選ぶ問題　　　　があります。

【例題5】 つぎの文章を読んで、文章全体の内容を考えて、 1 から 5 の中に
入る最もよいものを、1・2・3・4から一つえらびなさい。

　下の文章は、日本の大学で勉強している留学生のキムさんが、「林先生の授業から学んだこと」について書いた作文である。

林先生の授業から学んだこと

キム　ミナ

　林先生は、わたしたちに政治学の基礎を教えてくださっている先生です。林先生の 1 、教師が一方的に知識を伝え、学生は黙って教わる、というやり方ではありません。先生は少し説明した後、 2 、それぞれの意見を聞いていきます。いろいろな意見が出て混乱してきたところで、先生はどのように整理して考えればいいか、ヒントを 3 のです。

　わたしはこのような授業に慣れていなかったので、初めは変な質問をしたり変な意見を言ったりしたら笑われるのではないかと心配で、あまり発言できませんでした。 4 、いろいろな人の意見を聞いているうちに、思っていることを口に出してみることはとても大切だと学びました。今はわたしも勇気を持ってどんどん 5 。

---

1 1 授業から　　　②授業には　　　3 授業は　　　4 授業で
2 1 学生たちにたくさんの質問をし　　②いろいろなことが質問されて
　　3 学生たちはいろいろ考え　　　4 学生たちが質問をしたり
3 1 与えてあげる　　2 与えてくれる　　③与えてもらう　　4 与えさせる
4 1 しかも　　②しかし　　3 したがって　　4 また
5 ①発言できるようになるでしょう　　2 発言できるようにしたのです
　　3 発言するようにしています　　4 発言するようになります

【例題5】の □1□ は、文の終わりとの正しい対応を考える問題です。この文の終わりは「やり方ではありません」ですから、文の始めには対応する主語が必要です。主語になるのは3です。

□2□ では、主題の「は」の使い方が大切です。「先生は」で始まる文なので、□2□ の中も主語は「先生」になるはずですから、1が正しい答えです。

□3□ は、だれの側からものごとを見るかが大切です。文脈から、「先生が（ヒントを）与える」という内容の文だとわかります。そして、「与える」という行為を受けるのは「わたし（たち）」なので、2が正しい答えです。

□4□ は、前の内容とのつながりを考えて、接続表現を選ぶ問題です。初めのころの状況を説明してから、それと違う今の状況を言っているので、2が正しい答えです。

□5□ では、まず「今は」と文の内容が合うのは2と3です。そして、ここでは「わたし」が心がけていることを表す3が合うと判断できます。

このタイプの問題では、次のようなことについて判断できる力が必要です。

・文の始めと終わりの正しい対応
例 わたしの将来の夢は { 自分の店を持つことです。 / ×自分の店を持ちたいです。 }

・その文脈での条件に合う形式
例 教室でリーさんの話をしているとき、リーさんが教室に { 入ってきた。 / ×入っていった。 }

・文と文のつながり
例 この日本語教室はとても役に立つ。 { しかも / ×したがって } 無料だ。

これらについては「実力養成編　第3部　文章の文法」で詳しく学習します。

You are asked to consider the intended meaning of the text and select the correct corresponding grammatical form.

つぎの文の（　　　）に入れるのに最もよいものを、1・2・3・4から一つえらびなさい。

Example 1

米は多くの国で主食（　　　）食べられている。

1　として　　　　　2　に対して　　　　3　によって　　　　4　にとって

Example 2

妻「うーん。おなかが痛い。」

夫「がまんできない（　　　）、病院へ行ったほうがいいよ。」

1　までなら　　　　2　ほどなら　　　　3　までには　　　　4　ほどには

In **Example 1**, you need to think about the relationship of the term in brackets (　　　) with the words coming before and after: that is, with 主食 (staple food) and 食べられている (is eaten). 米 (rice) is a staple food and is eaten as such, and so the correct answer is 1 として.

In **Example 2**, you are also being asked to complete the sentence structurally using the correct grammatical forms. In conversational-form questions, the key thing to consider is what the other person in the conversation says. Because the がまんできない (I cannot bear it) before the (　　　) indicates the degree of pain expressed by the wife, the 〜ほどだ form is the correct one. In addition, because the phrase after (　　　) expresses the judgment of the husband after seeing how his wife looked, the correct answer is 〜なら. Hence the correct answer is a combination of 〜ほどだ and 〜なら: namely, 2 ほどなら.

With this type of question, it is important to know the semantic function of the grammatical form and the conjunctive form used with it.

You will learn more about these topics in Part 1: Grammar in the sentence 1.

This question set requires you to arrange phrases, select the correct grammar forms and compose meaningful sentences. You must choose the one of four options that fits the ★ position. Note that the ★ will not necessary be the third blank.

つぎの文の ＿★＿ に入る最もよいものを、1・2・3・4から一つえらびなさい。

Example 3

この仕事を＿＿＿ ＿＿＿ ＿★＿ ＿＿＿考えよう。

1　どうやって　　　2　いいのか　　　3　いったら　　　4　進めて

Example 4

A「来週の天気はどうでしょうね。」

B「火曜日＿＿＿ ＿＿＿ ＿★＿ ＿＿＿という予報ですよ。」

1　寒くなる　　　2　木曜日　　　3　にかけて　　　4　から

In **Example 3**, a basic question structure can be formed by using options 1 どうやって and 2 いいのか. You add to this framework the two remaining two options, 3 いったら and 4 進めて, to create the sentence この仕事をどうやって進めていったらいいのか考えよう (Let's consider what would be the best way to go about moving this job forward), so 3 いったら occupies the ★ position.

Example 4 uses a conversational style. If you focus first on options 4 から and 3 にかけて, you can create a sentence around the 〜から〜にかけて… (from … lasting to …) grammatical form. Given that the noun comes before both から and にかけて, you can create the sentence 火曜日から木曜日にかけて寒くなるという予報ですよ (The forecast is for it to be cold from Tuesday through Thursday). So 3 にかけて occupies the ★ position.

In this kind of sentence, it is also important to know not only the semantic function of the expression as in Part 1: Grammar in the sentence 1, but also

・The part of speech that goes with the grammatical form, and

・The phrases to be combined.

You will learn more about this topic in Part 2: Grammar in the sentence 2.

To ensure cohesiveness or flow in longer passages, the problem is selecting the grammatical forms, etc. appropriate for the context. Questions include:

・Those in which the student selects words needed to form a grammatically correct sentence, and

・Those in which the student selects the words needed to ensure textual cohesion.

Example 5 つぎの文章を読んで、文章全体の内容を考えて、 1 から 5 の中に入る最もよいものを、1・2・3・4から一つえらびなさい。

下の文章は、日本の大学で勉強している留学生のキムさんが、「林先生の授業から学んだこと」について書いた作文である。

> ### 林先生の授業から学んだこと
>
> キム　ミナ
>
> 　林先生は、わたしたちに政治学の基礎を教えてくださっている先生です。林先生の 1 、教師が一方的に知識を伝え、学生は黙って教わる、というやり方ではありません。先生は少し説明した後、 2 、それぞれの意見を聞いていきます。いろいろな意見が出て混乱してきたところで、先生はどのように整理して考えればいいか、ヒントを 3 のです。
>
> 　わたしはこのような授業に慣れていなかったので、初めは変な質問をしたり変な意見を言ったりしたら笑われるのではないかと心配で、あまり発言できませんでした。 4 、いろいろな人の意見を聞いているうちに、思っていることを口に出してみることはとても大切だと学びました。今はわたしも勇気を持ってどんどん 5 。

1 　1　授業から　　　　　2　授業には　　　　　3　授業は　　　　　4　授業で

2 　1　学生たちにたくさんの質問をし　　　　　2　いろいろなことが質問されて

　　3　学生たちはいろいろ考え　　　　　4　学生たちが質問をしたり

3 　1　与えてあげる　　2　与えてくれる　　3　与えてもらう　　4　与えさせる

4 　1　しかも　　　　　2　しかし　　　　　3　したがって　　　　4　また

5 　1　発言できるようになるでしょう　　　　　2　発言できるようにしたのです

　　3　発言するようにしています　　　　　4　発言するようになります

With ⬜1⬜ in **Example 5**, you are required to find an answer that matches the end of a sentence. Because the end of the statement is やり方ではありません, a corresponding subject is needed at the beginning. So the correct answer is 3.

With ⬜2⬜, the key thing is the usage of the topic marker は. Because the sentence begins with 先生は, the subject in ⬜2⬜ should be 先生. And so the correct answer is 1.

With ⬜3⬜, the key thing is determining whose perspective is being taken. From the context, it is clear that the focus is on 先生が（ヒントを）与える (the teacher gives a hint). The recipient of the hint is わたし （たち）, and so the correct answer is 2.

With ⬜4⬜, you are required to choose a conjunctive term to connect from the previous sentence. As the sentence pair is contrasting a past situation with the present, the correct answer is 2.

With ⬜5⬜, both 2 and 3 match the 今は～ phrase. But because 3 expresses effort on the part of the agent（わたし）, and not simply a result, the correct answer is seen to be 3, not 2.

In this kind of question, you must have the ability to:

- Judge correctly whether the sentence is internally cohesive from beginning to end
  Ex. わたしの将来の夢は〔 自分の店を持つことです。 / × 自分の店を持ちたいです。 〕

- Pick the grammatical form that best suits the context
  Ex. 教室でリーさんの話をしているとき、リーさんが教室に〔 入ってきた。 / × 入っていった。 〕

- And correctly connect sentences and phrases
  Ex. この日本語教室はとても役に立つ。〔 しかも / × したがって 〕無料だ。

You will learn more about these topics in Part 3: Grammar in longer text.

根据句子要表达的意思，判断适合其句子的语法形式。

つぎの文の（　　　　　）に入れるのに最もよいものを、1・2・3・4から一つえらびなさい。

【例題1】

米は多くの国で主食（　　　　）食べられている。

1　として　　　　　2　に対して　　　　3　によって　　　　4　にとって

【例題2】

妻「うーん。おなかが痛い。」

夫「がまんできない（　　　　）、病院へ行ったほうがいいよ。」

1　までなら　　　　2　ほどなら　　　　3　までには　　　　4　ほどには

【例題1】先考虑（　　　　）前后的「主食（主食）」与「食べられている（被食用）」之间的关系。由于「米（大米）」作为"主食"而被人们食用，因此，正确答案应该是「1　として」。

如【例題2】，有的试题将语法形式的相互搭配和组合作为考点。会话形式的题中，其中一方说的句子成为如何完成另一方说的句子的线索。（　　　　）前的「がまんできない（无法忍受）」是妻子所说的疼痛感的程度，因此与语法形式「〜ほどだ」相符。另外，（　　　　）后是看见妻子的样子后丈夫所下的判断，因此与「〜なら」相符。答案选「〜ほどだ」与「〜なら」的组合形式「2　ほどなら」。

要做好这种类型的题，重要的是准确掌握各语法形式的意义、功能及其接续方法。

关于这个部分，将在「第1部分　句子的语法1」中进行详细的学习。

将若干语句按一定顺序进行排列，构成语法准确、具有一定意义的句子。从四个选项中选择需排在★位置的一项。（在【例题3】和【例题4】中，★均在第三个下划线上，但实际考试中，★会出现于任意一个下划线上面。）

つぎの文の＿＿★＿＿に入る最もよいものを、1・2・3・4から一つえらびなさい。

【例題3】

　この仕事を＿＿＿＿ ＿＿＿＿ ＿★＿＿ ＿＿＿＿考えよう。

　　1　どうやって　　　　2　いいのか　　　　3　いったら　　　　4　進めて

【例題4】

　A「来週の天気はどうでしょうね。」

　B「火曜日＿＿＿＿ ＿＿＿＿ ＿★＿＿ ＿＿＿＿という予報ですよ。」

　　1　寒くなる　　　　2　木曜日　　　　3　にかけて　　　　4　から

　　【例题3】的选项中，有「1　どうやって」和「2　いいのか」，因此可以判断应该用这两个选项构成「どうやって～か」的疑问句。这个疑问句与剩下的「3　いったら」「4　進めて」组合起来便构成句子「この仕事をどうやって進めていったらいいのか考えよう（想想这份工作应该如何进行下去吧）」，排在★位置的选项为「3　いったら」。

　　【例题4】为会话形式的题。如果关注选项中的「4　から」和「3　にかけて」，就可以知道能用这两个选项造一个带有语法形式「～から～にかけて…（从…到…）」的句子。由于「から」和「にかけて」的前面均接名词，所以构成句子「火曜日から木曜日にかけて寒くなるという予報ですよ（天气预报说从星期二到星期四天气将转冷）」。排在★位置的是「3　にかけて」。

　　要做好这一类型的题，不仅要掌握「第1部分　句子的语法1」中所讲到的每个语法形式的意义与功能，还要熟悉这些语法形式与何种词性相接续、与何种表达常常搭配使用等。

　　针对这个部分，将在「第2部分　句子的语法2」中进行详细的学习。

Ⅲ 文章的语法

　　是选择符合上下文语境的语法形式来完成一篇完整的文章的题。其中，有的题是通过选择完成一个句子，有的题是通过选择使整篇文章变得完整、具有条理性。

【例題5】　つぎの文章を読んで、文章全体の内容を考えて、 1 から 5 の中に
　　　　　　入る最もよいものを、1・2・3・4から一つえらびなさい。

　下の文章は、日本の大学で勉強している留学生のキムさんが、「林先生の授業から学んだこと」について書いた作文である。

林先生の授業から学んだこと

キム　ミナ

　林先生は、わたしたちに政治学の基礎を教えてくださっている先生です。林先生の　1　、教師が一方的に知識を伝え、学生は黙って教わる、というやり方ではありません。先生は少し説明した後、　2　、それぞれの意見を聞いていきます。いろいろな意見が出て混乱してきたところで、先生はどのように整理して考えればいいか、ヒントを　3　のです。

　わたしはこのような授業に慣れていなかったので、初めは変な質問をしたり変な意見を言ったりしたら笑われるのではないかと心配で、あまり発言できませんでした。　4　、いろいろな人の意見を聞いているうちに、思っていることを口に出してみることはとても大切だと学びました。今はわたしも勇気を持ってどんどん　5　。

1 　1　授業から　　　　2　授業には　　　　3　授業は　　　　4　授業で

2 　1　学生たちにたくさんの質問をし　　　2　いろいろなことが質問されて

　　3　学生たちはいろいろ考え　　　　　　4　学生たちが質問をしたり

3 　1　与えてあげる　　2　与えてくれる　　3　与えてもらう　　4　与えさせる

4 　1　しかも　　　　　2　しかし　　　　　3　したがって　　　4　また

5 　1　発言できるようになるでしょう　　　2　発言できるようにしたのです

　　3　発言するようにしています　　　　　4　発言するようになります

【例题5】的 ___1___ 是要考虑与句子结尾部分的对应关系。这个句子的结尾是「やり方ではありません」，它需要前面有一个主语，成为主语的是3。

___2___ 中，表示主题的「は」的用法很重要。句子以「先生は」开始，那么 ___2___ 中的主语也应该是「先生」，因此1是正确答案。

___3___ 中，重要的是看说话人站在谁的立场上。从上下文中可以判断出「先生が（ヒントを）与える（老师给予（提示））」的内容，而且接受「与える」这个行为的一方为「わたし（たち）」，因此正确答案为2。

___4___ 要根据与前面内容的关联性来选择接续表达。由于文中讲到的开始时的状况和现在的状况不同，因此2为正确答案。

___5___ 中，首先，与「今は」相符的选项是2和3。由于3表示「わたし」努力地去说自己的想法，因此更符合题意。

这一类型的题，需要具备判断以下问题的能力。

・句子开头与结尾的准确对应关系

例 わたしの将来の夢は { 自分の店を持つことです。
× 自分の店を持ちたいです。 }

・符合其上下文内容的形式

例 教室でリーさんの話をしているとき、リーさんが教室に { 入ってきた。
× 入っていった。 }

・句子与句子之间的关联

例 この日本語教室はとても役に立つ。 { しかも
× したがって } 無料だ。

这些问题将在「第3部分　文章的语法」中进行详细的学习。

実力養成編
じつりょくようせいへん

第1部　文の文法1
だいぶ　ぶん　ぶんぽう

1 〜うちに…

A①日本にいるうちに一度富士山に登ってみたい。

②はい、アイスクリーム。溶けないうちに早く食べてくださいね。

③明るいうちに庭の掃除をしてしまおう。

✎ 名 の・ 動 辞書形／ている／ない形・ イ形 い・ ナ形 な ＋うちに

☞ 「〜の状態が変わる前に、…する。」 〜は変化する前の状態を表す言葉。…は意志的な動作を表す文。

Do … (verb) before state/situation 〜 changes. The phrase 〜 expresses a state or situation, and … is a phrase that expresses an intentional action.

表示"在〜的状态发生变化以前做…"。〜表示发生变化以前的某种状态，…为表示某个有意志的动作的小句。

B①音楽を聞いているうちに眠ってしまった。

②少し難しい曲でも、練習を重ねるうちに弾けるようになりますよ。

③気がつかないうちに外は暗くなっていた。

✎ 動 辞書形／ている／ない形 ＋うちに

☞ 「〜の状態が続いているときに、…に変わる。」 〜は継続的なことを表す言葉。…は変化を表す文で、話者の意志が入らない文。

While 〜 (continuous process or action) is happening, … (a change) also happens. Refers to a change that happens without the volition of the speaker during a certain period.

表示"在状态〜持续期间，状态变化为…"。〜表示某种可持续状态，…表示某个变化，…不能表示说话人的有意志的动作。

2 〜間…・〜間に…

①お母さんが昼寝をしている間、子どもたちはテレビを見ていた。

②わたしが旅行で留守の間、うちの犬の世話をお願いできないでしょうか。

③お母さんが昼寝をしている間に、子どもたちは遊びに出かけた。

④わたしが旅行で留守の間に、庭に草がたくさん生えてしまった。

✎ 名 の・ 動 辞書形／ている／ない形 ＋間・間に

☞ 「〜間…」：「〜の状態が続いているとき、ずっと…する・ずっと…の状態だ。」 〜は継続的なことを表す言葉。…も継続的なことを表す文。

While or during 〜 (continuous state), …is going on at the same time. Both 〜 and … express a continuous action or state.

表示"在状态〜持续期间一直做…，或一直保持状态…"。〜表示某种持续的状态，…也表示某种持续的状态。

「～間に…」：「～の状態が続いているときに、…する・…が起こる。」 ～は継続的なことを表す言葉。…は瞬間的なことを表す文。

While or during ~ (continuous state), … happens (an action or change occurs). ~ expresses a continuous action or state. … expresses a momentary action or change.

表示"在状态～持续期间做…，或发生…"。～表示某种持续的状态，…表示某个瞬间动作或变化。

3 ～てからでないと…・～てからでなければ…

①店員「いかがですか。こちらの絵はすばらしいですよ。」
　客　「うーん。高い物なので、家族と相談してからでないと買うかどうか決められませんね。」
②運転免許を取ってからでなければ車を運転してはいけない。
③病気が治ってからでなければ激しい運動は無理だ。

動 て形　＋からでないと・からでなければ

「～の前は…の状態が続く。」 …は否定的な意味やマイナスの状態を表す文。

Until/unless ~ happens or is done, … cannot happen or be done either. Used in negating or negative statements.

表示"在～之前，一直保持状态…"。…带有消极或负面色彩。

4 ～ところだ・～ところ（＋助詞）…

①ロケットは間もなく飛び立つところです。緊張の瞬間です。
②試験中、となりの人の答えを見ているところを先生に注意された。
③楽しみにしていたテレビドラマが始まったところで電話が鳴った。
④ケーキができ上がったところへ子どもたちが帰ってきた。

動 辞書形／ている／た形　＋ところだ・ところ（＋助詞）

「～の直前だ（①）・進行中だ（②）・直後だ（③④）。」 文中では、後に来る動詞によって「ところを・ところで・ところへ」などの形になる。

Just before ~ happens ①, while ~ is happening ② or just after ~ happened ③ and ④. Depending on the verb that follows, the end-particle varies, as follows: ところを, ところで or ところへ.

表示"在～即将发生的时候（①）・～正在进行中（②）・～刚刚发生或完成（③④）"。用于句中时，根据句末所使用的动词，后面有可能使用不同的助词，如「ところを・ところで・ところへ」。

1 〜とおりだ・〜とおり（に）…・〜どおりだ・〜どおり（に）…

①交番で教えてもらったとおりに歩いていったので、迷わず会場に着いた。

②初めて作る料理だから、この本に書いてあるとおりのやり方で作ってみよう。

③サッカーの試合の結果はわたしたちの期待どおりだった。

 名 の・動 辞書形／た形／てある／ている　＋とおりだ・とおり（に）

　　　名 ＋どおりだ・どおり（に）

☛ 「〜と同じだ。〜と同じように…。」

　　Be same as, in conformity with 〜, do or be … in the same way as 〜.

　　表示"和〜一样、完全按照〜做…"。

2 〜によって…・〜によっては…

①国によって習慣が違う。

②感じ方は人によってさまざまだ。

③わたしの帰宅時間は毎日違う。日によっては夜中になることもある。

④場合によっては今年の文化祭は中止になるかもしれない。

 名 ＋によって・によっては

☛ 「〜が違えば…。」 …は一定でないことを表す文（さまざまだ・変えるなど）。「〜によっては…」の
　　…は、いろいろな場合のうちの一つの例を言う文。

　　Means to change state or behavior depending on something, or according to something. Expresses variety, and is commonly
　　used with さまざまだ and かえる. The term 〜によっては … pinpoints one outcome from a range of possible outcomes.

　　表示"因〜而…"。…为表示并非一成不变的意思的小句（常用「さまざまだ・かえる」等）。「〜によっては…」中的…表示多种可能
　　出現的情形中的一种。

3 〜たびに…

①この地方は台風が来るたびに大水の害が起こる。

②母はわたしが電話をかけるたびに、ちゃんとご飯を食べているかと聞く。

③このチームは試合のたびに強くなっていく。

 名 の・動 辞書形　＋たびに

☞「～のとき、毎回同じように…する。」 毎回同じだということを特に言いたいときに使う。日常の当然のことには使わない。～・…には状態を表す文は来ない。

Whenever ~ happens, … always happens too. Used when the speaker wishes to emphasize the repeated nature of an action, but not for everyday or matter-of-course events. Neither ~ or … can express a state.

表示"每次～的时候都…"，用于强调每次都一样、毫无例外。不用于表示日常生活中的理所当然的事项。～和…都不能为表示某种状态的小句。

---

4 （～ば）～ほど… ・ （～なら）～ほど… ・ ～ほど…

①物が増えれば増えるほど整理が大変になる。
②本当にいい家具は時間がたつほど価値が上がる。
③休みの日は多ければ多いほどうれしい。
④町がにぎやかなほど商店では物がよく売れるのだ。
⑤忙しい人ほど時間の使い方が上手だ。

🖎 動ば形 ＋ 動辞書形
　　 イ形 い -ければ ＋ イ形 い
　　 ナ形 なら ＋ ナ形 な　　 }＋ほど
　　 イ形 い・ナ形 な ＋ 名

☞「～の程度が進めば、その分…の程度も進む。」

The more ~ does or happens, the more … does or happens (… happens to the same extent as ~).

表示"越～越…"。

---

5 ～ついでに…

①散歩のついでにこのはがきをポストに出してきて。
②玄関の掃除をするついでに靴の整理をしよう。
③インターネットで本を注文したついでに新しく出たＤＶＤも調べた。

🖎 名 する -の・動 辞書形／た形　＋ついでに

☞「～するとき、その機会を利用して…もする。」 二つの別々のことを同時にやってしまうと言いたいときに使う。～が本来の行為、…はそれに加えてする、目的のある意志的行為。

When doing ~, take the opportunity to … as well. … is a secondary action performed based on opportunities(unintentionally) created by the original action ~.

表示"趁着～，顺道做…"。用于表示同时做两个不同的行为。～为主要行为，…为附带行为。

1課

1 （　　　）うちに、聞いたことをメモしておいたほうがいい。
　　a 忘れる　　　　　　　　ⓑ 忘れない　　　　　　　　c 忘れている

2 ほかのことに気を（　　　）うちにご飯を食べる時間がなくなってしまった。
　　a 取られた　　　　　　　b 取られない　　　　　　　ⓒ 取られている

3 お風呂に（　　　）間に、配達の人が来たようだ。
　　a 入る　　　　　　　　　b 入った　　　　　　　　　ⓒ 入っている

4 わたしは夏休みの（　　　）、アメリカの友だちの家にいた。
　　a 中で　　　　　　　　　ⓑ 間　　　　　　　　　　　c 間に

5 4時に（　　　）飛行機の時間には間に合わない。
　　ⓐ 起きなければ　　　　b 起きてからでなければ　　c 起きられてからでないと

6 もっと暑くなってからでないと（　　　）。
　　ⓐ 海では泳げない　　　b 仕事をしても疲れない　　c 扇風機を使わなくてもいい

7 間もなく2時に（　　　）ところです。
　　a なる　　　　　　　　　ⓑ なった　　　　　　　　　c なっている

8 学校を休んで遊んでいる（　　　）友だちのお母さんに見られた。
　　a ところで　　　　　　　b ところに　　　　　　　　ⓒ ところを

9 今、出かける準備をしている（　　　）ちょっと待って。
　　a ところで　　　　　　　b ところを　　　　　　　　ⓒ ところだから

2課

1 人生は自分の（　　　）とおりにはいかない。
　　a 考え　　　　　　　　　b 計画　　　　　　　　　　ⓒ 思う

2 この絵の（　　　）30年前はこの辺は畑だった。
　　ⓐ とおり　　　　　　　b どおり　　　　　　　　　c とおりの

3 この虫は地方によって呼び方が（　　　）そうだ。
　　ⓐ 違う　　　　　　　　b 同じだ　　　　　　　　　c 似ている

4 あしたは、所によっては（　　　）。
　　ⓐ 天気が皆違う　　　　b どこも雨が降る　　　　　c 雨が降るかもしれない

5 彼女はデートのたびに（　　　）。

  a 元気がない　　　　　　　b 遅れてくる　　　　　　c 忙しそうだ

6 この絵は本物ではないが、見れば（　　　）本物に見える。

  a 見るほど　　　　　　　　b 見えるほど　　　　　　c 見ないほど

7 刺身は（　　　）新鮮なほどおいしい。

  a 新鮮だと　　　　　　　　b 新鮮なら　　　　　　　c 新鮮でなければ

8 カンさんはピアノを（　　　）歌を歌うのが上手だ。

  a 弾くたびに　　　　　　　b 弾きながら　　　　　　c 弾くついでに

9 銀行に行ったついでに（　　　）。

  a 偶然リーさんに会った　　b 自転車に乗った　　　　c 花屋に寄った

1課・2課

1 ちょうどメールを書いている（　　　）本人が来た。

  a までに　　　　　　　　　b 間　　　　　　　　　　c ところに

2 先生の説明を聞いている（　　　）だんだんわかってきた。

  a うちに　　　　　　　　　b たびに　　　　　　　　c ところを

3 今朝（　　　）のどが痛かった。

  a 起きたとき　　　　　　　b 起きたついでに　　　　c 起きているうちに

4 自分の目で（　　　）何ともお答えできません。

  a 確かめたとおりに　　　　b 確かめてからでないと　c 確かめたから

5 今日のスポーツ大会は（　　　）行います。

  a 予定どおり　　　　　　　b 予定のうちに　　　　　c 予定によって

6 わたしの場合、引っ越しする（　　　）物が増える。

  a ところに　　　　　　　　b たびに　　　　　　　　c ついでに

7 あの子はここにかばんを（　　　）どこかへ行ってしまった。

  a 置いている間　　　　　　b 置いたついでに　　　　c 置いたまま

8 山道を（　　　）見える景色が広がっていく。

  a 登れば登るほど　　　　　b 登っていって　　　　　c 登っていってから

9 感謝の言葉でも、言い方（　　　）悪い意味に聞こえることもある。

  a どおりでは　　　　　　　b のたびに　　　　　　　c によっては

1 〜くらいだ・〜ぐらいだ・〜くらい…・〜ぐらい…・〜ほどだ・〜ほど…

→第1部 A

①この店のパンはおいしい。毎日食べたいくらいだ。

②よう子さんの腕は折れそうなくらい細い。

③天気予報によると、今日は台風ぐらいの風が吹くそうだ。

④かさをさすほどではないが、少し雨が降っている。

⑤突然立っていられないほどの痛みを背中に感じた。

⑥さっき地震があった。本だなが倒れるかと思うほど激しく揺れた。

✎ 名・動・形 普通形 (ナ形 だ -な)　＋くらいだ・ぐらいだ・くらい・ぐらい

　名・動・形 普通形 (ナ形 だ -な)　＋ほどだ・ほど

☞ 「〜と同じ程度だ・〜と同じ程度に…。」 程度の強さを表すために、ある状況に例えて言うときに使う。⑥のように、「〜かと思うくらい・〜かと思うほど」の形でもよく使う。

To the extent that ~, in which ~ is an example (emphasizing extent) of what could have, but did not actually, happen. Often used as in ⑥, 〜かとおもうくらい・〜かとおもうほど in the sense "was so [adjective], that I even thought …"

表示"和〜的程度一样"，或"…得像〜一样"，用于通过找一种情形做比喻，来表示某种程度的强弱时。有时也使用「〜かとおもうくらい・〜かとおもうほど」的形式，如⑥。

2 〜くらい…はない・〜ぐらい…はない・〜ほど…はない

①リーさんぐらい動物好きな人はいない。

②わたしは料理を作ることぐらい楽しいことはないと思っています。

③ああ、あしたも漢字のテストがある。テストほどいやなものはない。

④2年前に病気だとわかったときほど不安になったことはない。

✎ 名　＋くらい…はない・ぐらい…はない

　名　＋ほど…はない

☞ 「〜がいちばん…。」 客観的な事実ではなくて、話者が主観的に言うときに使う。

~ is the most … (of all). Used to express a subjective judgment by the speaker, not to state an objective fact.

表示"〜是最…的"，它不表示客观事实，而表示说话人的主观意见。

3 ～くらいなら…・～ぐらいなら…

①毎朝自分で弁当を作る<u>くらいなら</u>、コンビニ弁当でいい。

②気が合わない人といっしょに生活する<u>ぐらいなら</u>、このまま独身でいたい。

③30分も遅れて説明会に行く<u>くらいなら</u>、参加しないほうがいい。

④やせるために好きなケーキをがまんする<u>くらいなら</u>、今の体型のままでかまわない。

🐾 動 辞書形 ＋くらいなら

☞ 「～というよくない状況に比べれば、…の方が少しはいい。」客観的な事実ではなくて、話者が主観的に言うときに使う。

Used in statements like If ~ is the case, then you are better off …. Used to express a subjective judgment of the speaker, not to state an objective fact.

表示"与～这种不理想的状况相比，…要略好些(与其～，还不如…)"，它不表示客观事实，而表示说话人的主观意见。

4 ～に限る

①やっぱり映画は映画館で見る<u>に限る</u>。

②かぜがはやっているときは、人が多い所には行かない<u>に限る</u>。

③湖の写真を撮るならこの場所に<u>限ります</u>。すてきな写真が撮れますよ。

🐾 名・動 辞書形／ない形 ＋に限る

☞ 「～がいちばんいい・～がいちばんいい方法だ。」客観的な事実ではなくて、話者が主観的に言うときに使う。

~ is the best, or ~ is the best method/way. Used to express a subjective judgment of the speaker, not to state an objective fact.

表示"～最好"、"～是最好的方法"，它不表示客观事实，而表示说话人的主观意见。

4課 〜とは違って

1 〜に対して…

①きのうは大阪では大雨だったのに対して、東京はいい天気だった。

②うちの課は女性がよく飲みに行くのに対して、男性は皆まっすぐ家に帰る。

③外遊びが好きな長男に対して、次男は家の中で遊ぶことが好きだ。

✏️ 名 ＋に対して

普通形 (ナ形 だ -な／-である・名 だ -な／-である) ＋の ＋に対して

👉 「〜と対比的に…。」 二つのものごと (〜と…) の違いをはっきり表すときに使う。

Unlike ~, (it is) …. Used to clearly contrast the actions or things in ~ and …

表示"和〜恰恰相反，…"，用于明确表示两个事项（〜和…）的不同。

2 〜反面…

①都会の生活は面白いことが多い反面、ストレスも多い。

②一人旅は気楽な反面、何でも一人でやらなければならないので、不便だ。

③仕事を辞めて自由な時間が増えた反面、緊張感もなくなってしまった。

✏️ 普通形 (ナ形 だ -な／-である／名 だ -である) ＋反面

👉 「〜だが、逆に…の面もある。」 あることの対比的な両面を言うときに使う。

~, but on the other hand … Used to present both sides of a proposition.

表示"〜，但另一方面…"，用于表述同一件事情的正反面。

3 〜一方 (で)…

①会議では自分の意見を言う一方で、ほかの人の話もよく聞いてください。

②教授は新しい研究に取り組む一方で、しっかり学生の世話もしなければならない。

③子どもが生まれてうれしかった一方で、重い責任も感じた。

④世の中には人と話すことが好きな人がいる一方、それが苦手な人も多い。

✏️ 普通形 (ナ形 だ -な／-である・名 だ -である) ＋一方 (で)

👉 「〜だが、同時に、別の面で…。」 ③④のように、対比的なことを言う場合は、「〜反面」と大体同じ意味。

~, but at the same time, on the other hand … Used when you want to indicate that there are two opposing sides to an issue (as in ③ and ④).

表示"〜，但另一方面…"、"〜，但同时…"，像例③④那样，用于对比两个事项时，其表达的意义与「〜はんめん」大致相同。

4 〜というより…

①ぼくと彼が友だち？　いや、ぼくたちは友だち<u>というより</u>いい<u>競争相手</u>なんだよ。

②<u>美知子</u>は歩くのが速い。歩く<u>というより</u>走るという感じだ。

③A「へえ、この絵、社長に<u>頼まれて</u>かいたんですか。」

　B「<u>頼まれて</u>、<u>というより</u><u>命令</u>されたんだよ。」

✎ 比較するために取り上げる言葉　＋というより

☞ 「〜という言い方より…という言い方の方が適切だ。」　〜より、もっと適切な言い方（…）を示すときに使う。

Means "rather than," or "would say it is more like." Used to indicate that a certain way of putting something is more appropriate.

表示"与其说是〜，不如说是…"，用于表示…的说法比〜更为妥当。

5 〜かわりに…

①フリーの仕事は自由な時間が多い<u>かわりに</u>、お金のことがいつも心配だ。

②<u>会長</u>の山田さんは、<u>実行力</u>がある<u>かわりに</u>、深く考えることはしない。

③リーさんに英語を教えてもらっている<u>かわりに</u>、リーさんの<u>仕事</u>を<u>手伝って</u>いる。

④今度の<u>正月</u>はいつものように<u>ふるさと</u>に帰る<u>かわりに</u>、両親と海外旅行をしたい。

✎ 動・形 普通形（ナ形 だ -な）　＋かわりに

☞ 「〜ということがあるが、反対に、それと同じ程度の…ということもある。（①②③）」

「通常している・通常するはずの〜をしないで、それと同じ程度の…をする。（④）」

On the one hand 〜, but at the same time … ① ② and ③, or "in return for." Also means refrain from an action that usually you would or should undertake, and do something different but equivalent instead ④.

表示"一方面〜，但另一方面…，〜和…的程度相当"（①②③），或表示"通常会〜，但这次没有选择这样做，而是做了与之程度相当的…"（④）。

3課

1 パーティーではたくさんのごちそうが出た。（　　　）ほどだった。
  a 全部食べた   b 全部食べられる   ⓒ 全部は食べられない

2 最近、食事する時間もないほど（　　　）。
  ⓐ 忙しい   b ひまだ   c あまり食べない

3 きのうは本当に寒くて、体が（　　　）くらいだった。
  a 凍った   ⓑ 凍るかと思う   c 凍るかどうか

4 京都の紅葉ほど美しいものは（　　　）。
  a ほかにもある   ⓑ ほかにない   ⓒ ほかにも少ない

5 日本で富士山ぐらい（　　　）山はないと思う。
  ⓐ きれいな   b 高い   c ほかの

6 （　　　）くらいなら、今の生活レベルでがまんしよう。
  a いい仕事がない   b 仕事がほしい   ⓒ きつい仕事をする

7 何もしないで後で残念がるくらいなら、（　　　）ほうがいい。
  a 何も残念がらない   b あまりがんばらない   ⓒ 失敗してもやってみた

8 旅行先でおいしい店が知りたければ、その土地の人に（　　　）に限る。
  ⓐ 聞く   b 聞いた   c 聞いている

9 眠れないときは（　　　）に限る。
  a ４、５時間   ⓑ 温かいミルク   c 朝、起きられない

4課

1 前のアパートが冬も暖かかったのに対して、（　　　）はとても寒い。
  ⓐ 今のアパート   b わたしの職場   c 山川さんの家

2 旧製品は長い間よく売れているのに対して、この新製品は（　　　）。
  a あした発売になる   ⓑ あまり人気がない   c すぐに売りきれた

3 この町は、夏は大勢の観光客でにぎやかな反面、（　　　）。
  ⓐ 冬は人が少ない   b 冬もスキー客が多い   c 一年中人が来る

4 自動化は人の労働を減らしてくれる一方で、人の工夫する能力を（　　　）。
  a 変えてくれる   b 高くしてくれる   ⓒ 低くしてしまう

5 山口君は（　　　　）一方で、静かに本を読むのも好きだと言う。

　　a よく図書館に行く　　　ⓑ サッカーに夢中になる　　　c 本をたくさん買う

6 今日は急に気温が下がって、（　　　　）というより寒かった。

　　ⓐ 涼しい　　　　　　　　b 暖かい　　　　　　　　c 暑い

7 うちでは、犬のチロはペットというより（　　　　）。

　　ⓐ 家族なんです　　　　　b 動物なんです　　　　　c かわいいんです

8 このアルバイトはきついかわりに（　　　　）。

　　a 休みがない　　　　　　　ⓑ 給料がいい　　　　　　c やってみたい

9 わたしは夜（　　　　）かわりに朝早く起きて勉強しています。

　　a 遅く帰る　　　　　　　　b 眠くなる　　　　　　　ⓒ 早く寝る

3課・4課

1 来週は今週（　　　　）もっと忙しくなると思いますよ。

　　a の反面　　　　　　　　　b というより　　　　　　ⓒ より

2 仕事がなくなる（　　　　）つらいことはない。

　　ⓐ くらい　　　　　　　　　b くらいなら　　　　　　c くらいでは

3 その人には一度会っただけだが、すぐに思い出せる（　　　　）特徴のある人だ。

　　a 反面　　　　　　　　　　ⓑ ほど　　　　　　　　　ⓒ かわりに

4 疲れたときは寝る（　　　　）。

　　ⓐ に限る　　　　　　　　　b くらいだ　　　　　　　c よりいい

5 遠慮しながら人に手伝いを頼む（　　　　）、自分でやってしまったほうがいい。

　　a 一方で　　　　　　　　　ⓑ というより　　　　　　ⓒ くらいなら

6 うちでは、母がパンが（　　　　）、父はパンはほとんど食べない。

　　a 好きなら好きなほど　　　ⓑ 好きなのに対して　　　c 好きというより

7 林さんのお子さんにあいさつすると、返事をする（　　　　）いつもにこにこ笑う。

　　ⓐ かわりに　　　　　　　　b 反面　　　　　　　　　ⓒ のに対して

8 年を取ると覚える力は弱くなる（　　　　）、深く考えられるようになる。

　　a というより　　　　　　　ⓑ 反面　　　　　　　　　c し

9 こんな方法でお金を手に入れるのは、頭がいい（　　　　）ずるいと思う。

　　ⓐ というより　　　　　　　b くらいなら　　　　　　c ばかりで

つぎの文の（　　　）に入れるのに最もよいものを、1・2・3・4から一つえらびなさい。

1 もっと雪が（　　　）スキーはできない。

　1　降ってから　　　　　　　　　　2　降っているうちに

　③　降ってからでないと　　　　　　4　降らない間に

2 祖父が（　　　）、午後になって雨が降ってきた。

　1　言ってから　　　　　　　　　　2　言ったから

　3　言っていれば　　　　　　　　　④　言ったとおり

3 彼は会う（　　　）政治の話をする。

　1　ところで　　　　　　　　　　　②　たびに

　3　うちに　　　　　　　　　　　　4　一方で

4 本屋で読みたい本を（　　　）、待ち合わせの時間を過ぎてしまった。

　1　探している間　　　　　　　　　②　探しているうちに

　③　探しながら　　　　　　　　　　4　探してから

5 リーさんはこの学校に（　　　）、一度も欠席しなかった。

　1　留学している間　　　　　　　　2　留学してからでないと

　3　留学しているうちに　　　　　　④　留学しているところで

6 A「月日がたつのは早いですね。お子さんはもう中学生なんでしょう。」

　B「いえ、中学生（　　　）、もう高校1年なんですよ。」

　①　ではなく　　　　　　　　　　　2　だけでなく

　3　というより　　　　　　　　　　4　に対して

7　A「あ、今度は失敗しないでうまく組み立てられたね。」

　　B「ぼくは同じ間違いを（　　　　）ばかじゃないよ。」

　　1　繰り返すより　　　　　　　　　　②　繰り返すほど

　　3　繰り返さないほど　　　　　　　　4　繰り返さないより

8　クレジットカードは便利な（　　　　）、危険も多い。

　　1　場合　　　　　　　　　　　　　　2　結果

　　③　反面　　　　　　　　　　　　　　4　割合

9　わたしが子どもの洋服を作るのは、子どもの（　　　　）、自分の趣味です。

　　1　物というより　　　　　　　　　　2　物のかわりに

　　③　ためというより　　　　　　　　　4　ためのかわりに

10　山田先生が（　　　　）、川島先生はすぐに怒る。

　　①　いつも笑っているのに対して　　　2　いつも笑っているのより

　　3　あまり笑わないのに対して　　　　4　あまり笑わないのより

11　連休はどこかに旅行に行く（　　　　）、家でパーティーをしたい。

　　1　というより　　　　　　　　　　　2　反面

　　3　うちに　　　　　　　　　　　　　④　かわりに

12　かぜをひいたようだ。こんなときは無理を（　　　　）。今日は仕事を休もう。

　　①　しないようだ　　　　　　　　　　2　しないに限る

　　3　するようではない　　　　　　　　4　するのでもない

13　A「ここから見える景色はいいですねえ。」

　　B「ええ、富士山の姿が（　　　　）。」

　　①　日によっていろいろに変化します　　2　日が変わるたびにきれいです

　　3　日が変わるたびにいつも同じです　　4　日によっていつもきれいです

1 ～ためだ・～ため(に)…

①報告書にミスが多かったのは、よく見直しをしなかったためだろう。

②この村には医者がいないために、病気のときはとなりの町まで行かなければならない。

③出張のため、明日の会議は欠席させていただきます。

名の ＋ためだ・ため(に)

普通形(ナ形 だ -な／-である・名 だ -の／-である) ＋ためだ・ため(に)

「～が原因だ。・～が原因で…という結果になる。」…にはふつう希望・意向・相手への働きかけなどの文は来ない。少し硬い言い方。

Because of ~, … resulted. Not used when a speaker is expressing hope or intention or trying to induce another person to an action. A slightly formal way of speaking.

表示"是因为～"或"因为～，产生了…的结果"。…通常不可以是表示说话人的愿望、意愿的表达方式或祈使形式。该说法偏正式。

2 ～によって…・～による

A①うちの工場では、材料不足によってたたみの生産はもうできなくなった。

②今年のインフルエンザは、今までにない型のウイルスによるものである。

名 ＋によって　　　　名 ＋による＋名

「～が原因で…という結果が起こる。」…には状態を表す文は来ない。また、希望・意向・相手への働きかけなどの文は来ない。少し硬い言い方。

Because of ~, … resulted. Not used for expressing a state, or when a speaker is expressing hope or intention or trying to induce another person to an action. A slightly formal way of speaking.

表示"因为～，产生…的结果"。…不可以是表示状态、说话人的愿望、意愿的表达方式或祈使形式。该说法偏正式。

B①外国語を学ぶことによってその国の人たちの考え方も知ることができる。

②クレジットカードによるお支払いを希望される方は、次の注意をお読みください。

名 ＋によって　　　　名 ＋による＋名

「～という手段で…する。」少し硬い言い方。

By using the method of ~, do … A slightly formal way of speaking.

表示"以～的方式…"，该说法偏正式。

3 ～から…・～ことから…

①わずかな誤解から友だちとの関係が悪くなってしまった。

②日本語の授業でとなりの席になったことから、わたしたちは親しくなった。

③顔がよく似ていることから、二人は親子だとすぐにわかった。

名 ＋から

普通形（ナ形 だ -な／-である・名 だ -である）　＋ことから

☞「〜という事実が原因で…という結果に発展する・…と判断する。」　…には希望・意向・相手への働きかけなどの文は来ない。

Because of ~, … results, or I conclude that…. Not used when a speaker is expressing hope or intention or trying to induce another person to an action.

表示"因为事实〜，（将）导致产生结果…"或"基于事实〜，做出…的判断"，…不可以是表示说话人的愿望、意愿的表达方式或祈使形式。

---

4 ～おかげだ・～おかげで…／～せいだ・～せいで…

①いい会社に就職が決まったのは先生のおかげです。ありがとうございました。

②天気のいい日が続いたおかげで、工事が早く終わった。

③最近忙しかったせいで、かなり疲れている。

名 の・動・形 普通形（ナ形 だ -な）　＋おかげだ・おかげで／せいだ・せいで

☞「〜の影響で…といういい結果になる（おかげだ）／よくない結果になる（せいだ）。」　…には希望・意向・相手への働きかけなどの文は来ない。

Means "thanks to" in positive sense (おかげだ) and "because of" (せいだ) in negative sense. Not used for sentences which express hope or intention or which induce another person to an action.

表示"在〜的影响下，产生某个好的结果…（おかげだ）／产生某个坏的结果…（せいだ）"。…不可以是表示说话人的愿望、意愿的表达方式或祈使形式。

---

5 ～のだから…

①世界は広いのだから、いろいろな習慣があるのは当然だ。

②あなたはけがをしているんだから、無理をしてはいけませんよ。

③笑わないでください。真剣にやっているんですから。

普通形（ナ形 だ -な・名 だ -な）　＋のだから

☞「〜が事実だから、当然…。」　〜には相手が知っているはずの事実を表す文、…には話者の判断・希望・意向や相手への働きかけなどの文が来る。

… is the natural consequence of ~. Means that one fact naturally follows from another, and the other person is assumed to know this. … is the speaker expressing a judgment, hope or intention, or trying to induce another person to an action.

表示"因为存在〜的事实，所似当然…"。〜为表示某个听话人应当知道的事实的小句，…为表示说话人的判断、愿望、意愿的表达方式或祈使形式。

6課 もし、…

1 ～(の)なら…

①その箱、もう使わないんですか。使わないならわたしにください。

②ああ、あしたは雨か。雨ならサイクリングには行けそうもないね。

③その本、読んでしまったのならわたしに貸してくれませんか。

✍ 普通形(ナ形だ／-である・名だ／-である) ＋(の)なら

    *ナ形だ、名だの場合は「のなら」にはならない。

☞ 「～という情報を受けて、…。」 ～はほかの人の話や様子などからわかったこと、…は話者の判断・意志・相手への働きかけの文など。

In light of ~ (news or situation), … Used when a speaker makes certain assumptions, for example based on another person's remarks or appearance. … is the speaker expressing a judgment or intent, or trying to induce another person to an action.

表示"既然～，那么…"。～表示从他人那里直接获得或根据其他人的表现间接了解到的信息，…为表示说话人的判断、决定的表达方式或祈使形式。

2 ～ては…・～(の)では…

①山中さんは手術したばかりだから、お見舞いに行ってはかえって迷惑だろう。

②そんな無責任な態度ではみんなにきらわれますよ。

③今から家を建て始めるのでは年内にはでき上がらない。

✍ 動て形・イ形い-くて・ナ形な-で・名で ＋は

    普通形(ナ形だ-な・名だ-な) ＋のでは

☞ 「～という事実(または仮定の状況)だと、…というよくない結果になる。」 …はマイナスの意味の文で、話者の希望・意向を表す文や働きかけの文は来ない。

Given that (assuming/supposing) ~, … can be expected (unwanted outcome). … is a phrase that has negative meaning. It cannot convey the speaker's hope or intention, or inducement of another person to an action.

表示"如果存在事实～(或"如果～")，就会产生某个不好的结果…"。…为某个有负面意义的事项，不可以是表示说话人的愿望、意愿的表达方式或祈使形式。

3 ～さえ～ば…・～さえ～なら… →第1部 A

①太郎は漫画さえ読んでいれば退屈しないようだ。

②体さえ丈夫ならどんなことにも挑戦できる。

③一言「ごめんなさい。」と言いさえすれば、相手は許してくれるだろう。

名 さえ ＋ ┌ 動 ば形・イ形 い -ければ
　　　　　　└ ナ形 なら・名 なら

動 ます ＋さえ＋すれば

☞ 「〜が実現すれば、それだけで…が実現する。」「〜さえ〜ば（なら）」は…が成り立つための必要最低限の条件を示す。

If ~ happens or is done, then … is all that needs to be done. The phrase 「〜さえ〜ば（なら）」 is used to indicate the minimum conditions necessary for … to take place.

表示"只要〜能够实现，…就能够实现"。「〜さえ〜ば（なら）」这个句型用于提示…成立的必要条件。

---

4 ┃ たとえ〜ても…・たとえ〜でも… →第1部I

①たとえ周りの人たちにどんなに反対されても、ぼくはプロの歌手になりたい。
②たとえ高くても、仕事に必要なものは買わなければならない。
③たとえ面倒でも、健康診断は毎年受けたほうがいいですよ。

たとえ ＋ ┌ 動 て形
　　　　　├ イ形 い -くて
　　　　　├ ナ形 な -で ┤＋も
　　　　　└ 名 で

☞ 「〜が事実だと仮定した場合でも、それに関係なく…。」
Means that even if a certain fact or state exists, something will take place or be done regardless.
表示"就算〜是事实，也…"。

---

5 ┃ 〜ば…・〜たら…・〜なら…

①お金とひまがあればわたしも海外旅行するんだけど……。
②もし寝坊していたらこの飛行機には乗れなかった。間に合ってよかった。
③ああ、残念だ。学生なら学生割引でチケットが買えたのに……。

動 ば形・イ形 い -ければ・ナ形 なら・名 なら

動 ない -なければ・イ形 い -くなければ・ナ形 な -でなければ・名 でなければ

普通形（過去形だけ）＋ら　　＊動詞は「〜ていたら」の形が多い。

☞ 「もし〜の場合、…という結果になるはずだが、実際にはそうではない。」〜も…も事実とは違うことを言う。…は「〜た・〜のだが・〜のに」などの文が多い。

Used in sentences like "If ~ had happened, then … should have been the outcome" (but in fact things did not turn out like that). Refers to hypothetical (unrealized) propositions. Often used in sentences that contain 〜のだが, 〜のだが or 〜のに.

表示虚拟语气，"要是〜的话，应该就…了"。其中，〜和…都为表示与事实不同的事项。…多以「〜た・〜のだが・〜のに」等形式结句。

5課

1 パソコンがこわれてしまったために、（　　　）。
   a 新しいのを買おう　　　　b 資料が作れなかった　　　c 直してくれませんか

2 台風15号によって（　　　）。
   a 橋が流された　　　　　　b 明日は大雨だろう　　　　c 明日は外出したくない

3 高い技術（　　　）詳しい健康チェックができるようになった。
   a によって　　　　　　　　b によれば　　　　　　　　c によると

4 小さな不注意（　　　）大問題が起こることもある。
   a から　　　　　　　　　　b まで　　　　　　　　　　c には

5 自転車の事故が増えたことから、（　　　）。
   a 気をつけよう　　　　　　b 自転車には乗りたくない　c 警察の注意がきびしくなった

6 弟のせいで（　　　）。
   a 楽しかった　　　　　　　b よく遊べた　　　　　　　c 母にしかられた

7 この薬（　　　）病気を治すことができた。
   a のおかげで　　　　　　　b のせいで　　　　　　　　c から

8 やっと運転免許が取れたんだから、（　　　）。
   a 車を買った　　　　　　　b 車を買いたい　　　　　　c 車は買わなかった

9 先生、すみません。かぜをひいて（　　　）、今日は休ませてください。
   a しまったので　　　　　　b しまったんですから　　　c しまって

6課

1 会社員A「ぼく、5時の新幹線に乗るんだ。あ、遅れそうだ。急がないと……。」
  会社員B「（　　　）なら後片付けはわたしがやっておくから、早く行って。」
   a 遅れない　　　　　　　　b 急がない　　　　　　　　c 時間がない

2 体の調子が悪くては（　　　）。
   a 仕事が進まないだろう　　b 仕事を休んでもいいよ　　c あした仕事をしよう

3 一人暮らしでも、お金さえ（　　　）。
   a なければ困る　　　　　　b あれば困らない　　　　　c なければアルバイトをする

4 ハンドルさえ直せばこの自転車は（　　　）だろう。
   a もう使えない　　　　　　b まだ使える　　　　　　　c 使いにくい

5　たとえどんなに（　　　）、賛成する人が少なければ実行できない。

　　a　よくない案でも　　　　　　b　いい案でも　　　　　　　c　案を考えなくても

6　たとえ国を離れても、ぼくは君のことを（　　　）。

　　a　忘れないよ　　　　　　　　b　忘れるかもしれない　　　c　もう思い出せない

7　ああ、よかった。気がつくのが（　　　）火事になったかもしれない。

　　a　遅いと　　　　　　　　　　b　遅いなら　　　　　　　　c　遅かったら

8　学生時代にもっと勉強すれば（　　　）と、今ではとても残念だ。

　　a　いい　　　　　　　　　　　b　よさそうだ　　　　　　　c　よかった

【5課・6課】

1　今年は梅雨に雨の量が少なかった（　　　）、米や野菜などがよく育っていない。

　　a　おかげで　　　　　　　　　b　ために　　　　　　　　　c　のなら

2　今日は（　　　）、早く家に帰りたい。

　　a　疲れたせいで　　　　　　　b　疲れたのでは　　　　　　c　疲れたから

3　あなたは（　　　）どんな仕事でもするんですか。

　　a　給料さえ高ければ　　　　　b　給料が高いのでは　　　　c　給料が高いのだから

4　せっかく京都まで（　　　）、京都にしかない物を食べませんか。

　　a　来たのでは　　　　　　　　b　来たことから　　　　　　c　来たんだから

5　ひろしは絵を（　　　）、デザインの仕事に興味を持ったようだ。

　　a　ほめられたのだから　　　　b　ほめられたことから　　　c　ほめられさえすれば

6　太陽熱（　　　）発電は、24時間可能だ。

　　a　から　　　　　　　　　　　b　による　　　　　　　　　c　のための

7　オートバイを（　　　）、今、お金をためています。

　　a　買いたいなら　　　　　　　b　買いたいので　　　　　　c　買いたいのでは

8　ホームステイに（　　　）、早く申し込みをしたほうがいいですよ。

　　a　参加すれば　　　　　　　　b　参加するため　　　　　　c　参加するなら

9　そんなにほめ言葉を（　　　）、かえって恥ずかしいです。

　　a　言われては　　　　　　　　b　言われたのだから　　　　c　言われさえすれば

10　たとえどんなにいい服を（　　　）着る機会がなかったら意味がない。

　　a　買ったのだから　　　　　　b　買っても　　　　　　　　c　買ったのでは

7課 〜だそうだ

1 〜ということだ・〜とのことだ

①市のお知らせによれば、この道路は来週から工事が始まる<u>ということです</u>。

②店の人の話では、この地方の米はとてもおいしい<u>ということだ</u>。

③さっき川村さんから電話がありました。今日は社に戻れない<u>とのことです</u>。

④メールによると、林さんは来週はとても忙しい<u>とのことです</u>。

⑤【手紙】新しい仕事が決まった<u>とのこと</u>、おめでとうございます。

🪢 普通形　＋ということだ・とのことだ

☛ 「〜だそうだ。」得た情報を伝える言い方で、「〜だそうだ」より硬い。情報源を示すには「〜では・〜によると・〜によれば」などを使う。ある人が言ったことを個人的に伝える場合は「〜とのことだ」をよく使う。⑤のような形で手紙などの中で使うこともある。

(According to xxx), ~. Indicates reported speech. Used to pass on acquired information. Slightly more formal than 〜だそうだ. To indicate the source of the information, expressions such as 〜では、〜によると, or 〜によれば are used. 〜とのことだ is often used in cases where the original statement was made by another individual personally. ⑤ illustrates usage in a letter.

表示"据说〜"，用于向别人传达自己所知的信息，比「〜だそうだ」的说法更为正式。信息来源通常用「〜では・〜によると・〜によれば」等形式来表示，如果要传达的消息是某人口授，常使用「〜とのことだ」的形式。⑤的形式常用于书信。

2 〜と言われている

①今年は黒い服が流行する<u>と言われている</u>。

②納豆は体にいい<u>と言われている</u>。

③今度の大会では中川選手が優勝するだろう<u>と言われています</u>。

🪢 普通形　＋と言われている

☛ 「〜と、世間の人たちが言っている。」

People say that ~, it is generally believed that ~. Indicates received opinion.

表示"人们都说〜"。

3 ｜ 〜とか

①来月また出張だとか。今度はどちらに行かれるんですか。
②お宅ではいろいろな動物を飼っているとか。にぎやかでしょうね。
③あの店のパンはとてもおいしいとか。今日、帰りに買って帰ります。

✎ 普通形　＋とか

☞ 「〜と聞いた。」 うわさなどで聞いたはっきりしないことを言う。

I heard that ～. Used when the information is based on unconfirmed hearsay.

表示"我听说～"，常用于自己也只是道听途说、并不十分确信的场合。

4 ｜ 〜って

①小川さん、今日は休むって言ってたよ。
②佐藤さんの奥さんは料理の先生だって。
③駅前にタイ料理のレストランができたんだって。行ってみようよ。
④山川君、先生が教員室まで来てくださいって。

✎ 普通形　＋って

☞ 「〜と言っている・〜と聞いた。」「〜と」のくだけた話し言葉で、②③④のように、後の動詞（言っている・聞いたなど）をよく省略する。④のように、言った言葉に直接「って」をつけることもある。

People say ～, I heard that ～. A colloquial, casual form for 〜と. As in ②, ③, and ④, the verb that should follow (いっている or きいた, etc.) is often omitted. As in ④, って can also be tagged on to the end of a whole statement.

表示"某人说～"或是"我听说～"。是「〜と」的口语形式，语气随便，其后常常省略动词「いっている」、「きいた」等，如②③④；也可以在直接引用的内容后直接加「って」，如④。

5 ｜ 〜という

①この辺りは昔、広い野原だったという。
②この祭りは村で古くから行われてきたという。
③豆腐は1300年ぐらい前に中国から日本に伝わったという。

✎ 普通形　＋という

☞ 「〜だそうだ。」 少し硬い書き言葉。

Slightly more formal alternative to 〜だそうだ, used more in written language.

表示"据说～"，是比较正式的书面语用法。

8課　絶対〜ない・必ず〜とは言えない

1　〜はずがない・〜わけがない

①ちゃんと約束したんだから、彼が来ないはずがない。どうしたのかなあ。

②あの店が今日休みのはずはありません。電話で確認したんですから。

③国家試験なのだから易しいはずがない。がんばらなくては……。

④こんなに大きい家、わたしに買えるわけがないでしょう。

⑤試合に勝つために練習しているのだ。練習がきびしくないわけがない。

🔖 普通形（ナ形 <del>だ</del> -な／-である・名 <del>だ</del> -の／-である）　＋はずがない・わけがない

☞ 「絶対〜ない。」話者が強い確信を持って否定する言い方。

> Definitely is not/does not ~. Strong expression of negation based on the opinion of the speaker.
> 表示"绝对不可能～"，用于说话人明确否定某个事项时。

2　〜とは限らない

①この歌は古くから歌われているが、日本人がみんな知っているとは限らない。

②値段が高いものが必ず質がいいとは限らない。

③旅行中にけがをしないとは限りません。保険に入っておいたほうがいいですよ。

④新聞に書いてあることがいつも本当のこと（だ）とは限らない。

🔖 普通形（ナ形 （だ）・名 （だ））　＋とは限らない

☞ 「必ず〜とは断定できない・〜ではない場合もある。」「みんな・いつも・だれでも・必ず」などの言葉といっしょに使うことが多い。

> It cannot be stated categorically that ~, there may be cases where it is not ~. Often used with みんな, いつも, だれでも or かならず.
> 表示"不一定就是～"或"也有可能不是～"，常与「みんな・いつも・だれでも・かならず」等搭配使用。

3　〜わけではない・〜というわけではない・〜のではない

①長い間本をお借りしたままでしたが、忘れていたわけではありません。

②いつでも電話に出られるわけではありません。連絡はメールでお願いします。

③この仕事が好き（だ）というわけではないが、彼といっしょに仕事ができて楽しい。

④転勤するのではありません。会社を辞めるんです。

⑤A「いい帽子ね。高かったでしょう。」

　B「これは買ったんじゃないの。自分で作ったの。」

🔖 普通形 (ナ形 だ -な／-である・名 だ -の／-な／-である)　＋わけではない

普通形 (ナ形 (だ)・名 (だ))　＋というわけではない

普通形 (ナ形 だ -な・名 だ -な)　＋のではない

☞「状況から～だと想像されるだろうが、実はそうではない。」　～の部分だけを否定する言い方。

Means something like "it's not that ~ but rather that," and used in constructions in which circumstances may suggest one thing, but the facts are different. Only the ~ part of the statement is negated.

表示"按现有状况来看，人们容易认为是～，但其实并非如此"，该表达方式只否定～的部分。

---

4 ～ないことはない

① ここから駅まで歩けないことはありませんが、かなり時間がかかりますよ。

② この店のカレーもおいしくないことはないが、わたしはもっと辛いのが好きだ。

③ 試験の結果が心配でないことはないのですが、今は終わってほっとしています。

🔖 動 ない形・イ形 い -くない・ナ形 な -でない・名 でない　＋ことはない

☞「絶対～ないとは言えない。」　否定の形を否定することで弱く肯定する言い方。

I cannot say that ~ never happens (is not impossible). Used to mildly express the affirmative using a double negative.

表示"也不是说绝对不～"，以双重否定的形式表示委婉的肯定意义。

---

5 ～ことは～が、…

① 彼からの手紙は読んだことは読んだんですが、意味がよくわかりませんでした。

② わたしは泳げることは泳げますが、長い距離はだめなんです。

③ この本は高いことは高いが、写真が多くて楽しめそうだ。

④ 子どもを育てるのは大変なことは大変だが、成長が楽しみで大変さを忘れる。

🔖 動・形 普通形 (ナ形 だ -な)　＋ことは　＋動・形 普通形・丁寧形　＋が

☞「確かに～だが、その事実はあまり重要ではなくて、…。」

It is true that ~ (though this fact is not so important); but …

表示"虽然说～是事实，但更重要的是…"。

7課

1 （　　　　）、「ズボン」はフランス語から来た言葉だということです。

　　a 先生の説明は　　　　　　b 先生の説明では　　　　　　c 先生の説明からは

2 今朝の新聞（　　　　）、痛み止めの新しい薬が発売されるということだ。

　　a によって　　　　　　　　b によったら　　　　　　　　c によると

3 （　　　　）、この家は300年ぐらい前に建てられたと言われている。

　　a 確かではないが　　　　　b 山川さんの話では　　　　　c 林さんから聞いたのだが

4 今、テレビの天気予報で見たんだけど、あしたは全国的に雨だ（　　　　）よ。

　　a と聞いている　　　　　　b と言われている　　　　　c そうだ

5 足の裏を日に当てると健康に（　　　　）とか。本当だろうか。

　　a いい　　　　　　　　　　b いいです　　　　　　　　c いいそうだ

6 A「あしたは（　　　　）。」

　　B「わあ。いやだなあ。あしたは野球の練習があるんだ。」

　　a 暑いと　　　　　　　　　b 暑いって　　　　　　　　c 暑くって

7 昔、この地方には、珍しい習慣が（　　　　）という。

　　a あった　　　　　　　　　b あったそうだ　　　　　　c あったんだって

8 この地域の土地の値段は今後もあまり高く（　　　　）という。

　　a なりません　　　　　　　b ならないでしょう　　　　c ならないだろう

8課

1 わたしはこんなに健康に注意しているのだ。（　　　　）はずがない。

　　a 病気になる　　　　　　　b 病気にならない　　　　　c 病気ではない

2 田中さんにはそのことを先週話したのだから、（　　　　）。

　　a 知るわけがない　　　　　b 知っているわけがない　　c 知らないわけがない

3 強いチームではないが、（　　　　）とは限らない。

　　a 絶対勝てない　　　　　　b 必ず勝てる　　　　　　　c 絶対負けない

4 旅行に（　　　　）わけではなく、二日目から参加するつもりなのです。

　　a 行ける　　　　　　　　　b 行かない　　　　　　　　c 行きたい

5 わたしたち兄弟は仲がよくないことはないが、（　　　　）。

　　a いつもいっしょにいる　　b いっしょにいることもある　c いっしょにいることは少ない

6 山田さんの住所はここに書いてあることは（　　　　）が、10年前のです。

   a 書きました　　　　　　b 書いています　　　　　　c 書いてあります

7 少し寒いことは寒いが、（　　　　）。

   a 暖房は必要ない　　　　b 暖房を入れよう　　　　c 暖房を入れた

8 わたしはテレビを（　　　）が、ニュース番組だけだ。

   a 見ることは見ない　　　b 見ないことは見ない　　　c 見ることは見る

7課・8課

1 ねえ、この記事見て。きのうのスケート大会、青木選手が（　　　　）。

   a 優勝したとか　　　　　b 優勝したんだって　　　c 優勝したという

2 石田さんの奥さんの話では、石田さんはあした退院する（　　　　）。

   a とのことです　　　　　b と言いました　　　　　c と言われています

3 アンケートの結果から、ほとんどの人がこの商品に満足している（　　　　）。

   a と言われている　　　　b とのことだ　　　　　　c ことがわかる

4 先生「あした、皆さんが乗るバスは駅前を8時に（　　　　）。場所と時間を間違えないで

  ください。」

   a 出発するとか　　　　　b 出発します　　　　　　c 出発すると言われています

5 先生の話では、今のわたしの実力でもがんばれば合格できない（　　　　）。

   a ということだ　　　　b ことはできないという　　c ことはないそうだ

6 仕事がたくさんあるが、あしたまでに（　　　　）。でも、ミスが出ないか心配だ。

   a できることはできる　　b できるはずがない　　　c できるとは限らない

7 わたしはよくこの店でパンを買うが、この店が特に（　　　）ない。

   a 好きでないことは　　　b 好きなわけでは　　　　c 好きとのことでは

8 練習すればだれでもピアノが上手に（　　　　）。

   a なるわけがない　　　　b なるとは限らない　　　c ならないということだ

9 プロでもうまくできないのだから、わたしに（　　　　）よ。

   a できるわけがない　　　b できるわけだという　　c できないとは限らない

10 明美さんが今年（　　　　）ない。10年前、もう中学生だったのだ。

   a 二十歳のはずが　　　　b 二十歳でないことは　　c 二十歳のわけでは

つぎの文の（　　　）に入れるのに最もよいものを、1・2・3・4から一つえらびなさい。

1　彼の話では、これはこの地方の伝統的な（　　　）。

　　1　料理だと聞いた　　　　　　　　2　料理だと言った

　　3　料理だと言われている　　　　　4　料理という

2　カップラーメンは（　　　）簡単にできる。

　　1　お湯だけ入れては　　　　　　　2　お湯さえ入れれば

　　3　お湯も入れるほど　　　　　　　4　お湯を入れるくらいなら

3　あの女優は（　　　）が、少し冷たい感じがする。

　　1　きれいだとは限らない　　　　　2　きれいなはずはない

　　3　きれいなことはきれいだ　　　　4　きれいというわけではない

4　この車は電気とガソリン（　　　）動く「ハイブリッドカー」だ。

　　1　から　　　　　　　　　　　　　2　によって

　　3　のことから　　　　　　　　　　4　のために

5　たとえ詳しい説明が（　　　）、用語が難しければわかりにくい。

　　1　書いてあったら　　　　　　　　2　書いてなかったら

　　3　書いてあっても　　　　　　　　4　書いてなくても

6　A「あれ。また1匹。お宅にはねこが何匹いるんですか。」

　　B「5匹います。」

　　A「5匹（　　　）大変でしょう。」

　　1　もいては　　　　　　　　　　　2　さえいれば

　　3　がいても　　　　　　　　　　　4　だけいると

7 料理は（　　　　）が、時間がなくてあまりしない。

1　するわけではない　　　　　　　2　すればしたい

3　できないことはない　　　　　　4　できないことはできない

8 いいレストランで食事を（　　　　）、そんなかっこうではだめだろう。

1　しては　　　　　　　　　　　　2　するなら

3　するうちに　　　　　　　　　　4　したら

9 わたしの実験が成功したのは、みんなが手伝って（　　　　）です。

1　もらったことから　　　　　　　2　くれたことから

3　もらったおかげ　　　　　　　　4　くれたおかげ

10 聞いた話ではあしたは大雪になる（　　　　）。今日のうちに買い物をしておこう。

1　と　　　　　　　　　　　　　　2　とか

3　こと　　　　　　　　　　　　　4　のこと

11 梅雨の間でも毎日雨が（　　　　）。晴れる日もある。

1　降るとは限らない　　　　　　　2　降らないとは限らない

3　降るに限る　　　　　　　　　　4　降らないに限る

12 あれ、この上着はちょっと大きすぎる。きのう買う前に（　　　　）なあ。

1　着てみたほうがいい　　　　　　2　着てみたらいい

3　着てみてよかった　　　　　　　4　着てみればよかった

13 国の大学で日本人留学生と知り合った（　　　　）、日本に興味を持った。

1　ことから　　　　　　　　　　　2　とおりに

3　ついでに　　　　　　　　　　　4　のだから

9課 〜と望む

1 〜てもらいたい・〜ていただきたい・〜てほしい

①だれかに自分の悩みを聞いてもらいたいと思うことがあります。

②この書類、ちょっと見ていただきたいんですが。

③この仕事はだれにも手伝ってもらいたくない。自分一人でやりたい。

④ずっとぼくのそばにいてほしい。遠くへ行かないでほしい。

⑤これ以上この村の自然環境をこわさないでほしい。

⑥年を取った親にはもう無理をしてほしくない。

🔖 動て形／ない形＋で　＋もらいたい・いただきたい・ほしい

☞ 「(ほかの人が)〜する／〜しないことを望む。」　①③⑤のように、要求する相手がはっきりしていない場合もある。相手に直接言う場合は「〜てください／〜ないでください」と大体同じ意味。

Used to express hopes that another person will do something for the speaker as a service or favor, or refrain from doing something that causes the speaker displeasure. Sometimes, as in ①, ③ and ⑤, the person of whom the request is made is not specified. When addressing or making a request, etc. of the other person directly, it has almost same meaning as 〜てください 〜／〜ないでください〜.

表示"希望有人做〜"或是"希望某人不做〜／没有人做〜"。〜可以没有确定的动作主体，如①③⑤。如〜的动作主体恰好是听话人，它所表示的意思与「〜てください／〜ないでください」大致相同。

2 〜(さ)せてもらいたい・〜(さ)せていただきたい・〜(さ)せてほしい

①店員A「昼休みが短いよね。昼ご飯をもっとゆっくり食べさせてもらいたいね。」
　店員B「そうだね。店長に言ってみよう。」

②今日は入管へ行かなければならないので、早く帰らせていただきたいのですが……。

③それはさっきも説明したことだよ。何度も同じことを言わせないでもらいたいよ。

④文化祭のポスターはわたしに作らせてほしいなあ。

⑤こんな暑い日に運動場で4時間も練習をさせないでほしいです。

🔖 動詞Ⅰ　動ない＋せて／せないで

　　動詞Ⅱ　動ない＋させて／させないで　　＋もらいたい・いただきたい・ほしい

　　動詞Ⅲ　来る→来させて／来させないで

　　　　　する→させて／させないで

☞「(自分が)〜する／〜しないことを望む。」 ほかの人が自分のために、ある状況を作ったり許可したりすることを望む言い方。②③のように、相手に直接希望を言うときにもよく使う。

Means "hope to be allowed to do something, or to not have to do something, by oneself;" expresses hope that another person will arrange or permit something. Often used for direct expression of a wish to somebody, as in ② and ③.

表示"我想做〜"或"我不想做〜"，用于希望征得别人的许可或获得别人的谅解让自己做某事或不做某事，也常用于直接向听话人提出请求，如②和③。

3	〜といい・〜ばいい・〜たらいい

A①【卒業式で】
　先生「このクラスも今日でお別れです。いつかまたみんなで会えるといいですね。」
②最近ずっと体の調子が悪い。悪い病気でなければいいが……。
③あしたは入学試験だ。がんばろう。合格できたらいいなあ。

❧ 普通形(現在形だけ)　＋と

　　動 ば形・イ形 い-ければ

　　動 ない・イ形 い-く・ナ形 な-で・名 で　＋なければ ⎫
　　　　　　　　　　　　　　　　　　　　　　　　　　⎬ ＋いい
　　普通形(過去形だけ)　＋ら ⎭

☞「〜ことを望んでいる。」 〜には話者自身の意志的行為を表す言葉は来ない。

Means "hope (that something happens)," but used when the outcome does not depend on one's own will.

表示"希望能够〜"。〜不可以表示说话人的有意志的行为。

B①疲れているようですね。あしたはゆっくり休むといいですよ。
②その仕事、気が進まないのなら引き受けなければいいんじゃないですか。
③申込書の書き方がわからなければ、事務の人に聞いてみたらいいですよ。

❧ 動 辞書形＋と ⎫

　　動 ば形／ない-なければ ⎬ ＋いい

　　動 たら ⎭

☞「相手に〜の行為をする／しないことを勧める。」

Urge another person to do ~/not to do ~ (verb).

表示"我建议你(不要)〜"。

10 課 （か） ～したほうがいい・～なさい

1 命令（しろ）／禁止（～な）

① 【試合で】監督「走れ、走れ！」
② 犬に「降りろ。」と命令した。犬は命令に従った。
③ 赤信号は止まれという意味です。
④ 引っ越しを手伝ってくれと友だちに頼んでみよう。
⑤ 立て札に「スピードを出すな！」と書いてある。
⑥ 父は医者にお酒を飲むなと言われている。

命令　動詞Ⅰ　動 ば

　　　　　動詞Ⅱ　動 ます -ろ　　　＊例外　くれる→くれ

　　　　　動詞Ⅲ　する→しろ
　　　　　　　　　来る→来い

　　　禁止　動 辞書形　＋な

☞ 「～しなさい／～してはいけない。」 特に男性が強く命令するときに使うが、応援するときや立て
札・張り紙などにも使う。③④⑥のように、「　」を使わず、間接的に伝える場合にも使う。
Do ~! Do not ~! A strong positive and negative imperative form, used particularly by males. Also used for shouting out support at sports events, or in the language of supporters' posters and banners. Can also be used when giving instructions indirectly, as in ③, ④ and ⑥, without using quotation marks.
表示命令或禁止。该用法常见于男性，语气强硬。为别人打气时，或警示牌、警示标语上也可以使用该表达方式。除了直接引用的方式以外，也可以以间接引用的方式用于句中，此时不需要加「　」，如③、④和⑥。

2 ～こと

① 【学校で】先生「レポートは来週月曜日に必ず出すこと。遅れないこと。」
② 申込書を書く前に注意書きをよく読むこと。
③ 【立て札】危ないからこの川で泳がないこと。

　動 辞書形／ない形　＋こと

☞ 「～しなさい／～してはいけない。」 主に注意や指示を
張り紙などに書いて伝えるときに使う。
Do ~, Do not ~ Imperative used mainly when giving a caution, or conveying instructions or orders in writing in notices, etc.
表示命令或禁止，主要以书面语的形式出现，如写有警示或指示内容的字条或是告示。

3 ～べきだ・～べき／～べきではない

①これは大事なことですから、もう少し話し合ってから決めるべきだと思いますよ。

②仕事はたくさんあるが、まず、今日中にやるべきことから始めよう。

③せっかく入った会社なのだから、簡単に辞めるべきではない。

④子どもは夜遅くまで外にいるべきではない。

⑤あしたまでのレポートがまだ書き終わらない。もっと早くから始めるべきだった。

🖊 動 辞書形　＋べきだ・べきではない　　＊例外　する→するべきだ・すべきだ

　　動 辞書形　＋べき・べきではない＋名

☞ 「～するのが当然だ・～したほうがいい／～してはいけない・～しないほうがいい。」 規則で決まっていることではなく、話者の主張を言うときに使う。⑤のように過去形を使って反省や後悔を表すこともある。

It is a matter of course to ~, it is better to ~; should not ~, it is better not to ~. Used to reflect the opinion or judgment of the speaker, not any particular rule. Used in the past tense, as in ⑤, it can also express second thoughts or regret at not having done something.

表示"理所应当～"、"最好～"、"不准～"、"最好不要～"。它并不表示按照规定应该怎样或最好（不要）怎样，而表示说话人的主观意见，其过去式形式可以表示后悔、反省的意思，如⑤。

4 ～たらどうか

①体のことが心配なら、一度健康診断を受けたらどうでしょうか。

②疲れているみたいですね。少し休んだらどうですか。

③迷惑メールが多いの？　じゃ、アドレスを変えたらどう？

④悪いのはそっちですよ。一言謝ったらどうですか。

🖊 動 たら　＋どうか

☞ 「～するのがいいですよ。」 助言や忠告の気持ちで相手にある行為を軽く勧めるときに使う。④のように、その行為をしないことを非難する言い方にもなる。

Wouldn't it be better to ~. Used when giving mild advice or recommendations to another person. Can also be used to criticize another person for failing to do something the speaker feels should have been done, as in ④.

表示"你～吧"，用于委婉地向对方提出建议或忠告，也可以用于责怪对方为何一直没有采取这样的做法，如④。

9課

1 ずっと（　　　）所に父が連れていってくれた。とても楽しかった。

　　a 行きたかった　　　　　　b 行ってほしかった　　　　c 行ってもらいたかった

2 だれかわからないけど、道にごみを（　　　）もらいたいなあ。

　　a 捨てられて　　　　　　　b 捨てないで　　　　　　　c 捨てられないで

3 卒業式では写真を撮ったんでしょう。ぜひ（　　　）ほしいです。

　　a 見て　　　　　　　　　　b 見せて　　　　　　　　　c 見られて

4 今日はおなかが痛いので、アルバイトを（　　　）いただきたいのですが。

　　a 休んで　　　　　　　　　b 休まれて　　　　　　　　c 休ませて

5 説明がよくわかりませんでした。もう一度（　　　）ほしいのですが。

　　a 教えて　　　　　　　　　b 教えさせて　　　　　　　c 教わって

6 あのう、お客様、店内のガラス製品に（　　　）いただきたいのですが……。

　　a 触って　　　　　　　　　b 触らせて　　　　　　　　c 触らないで

7 来週からご旅行ですか。（　　　）いいですね。

　　a 天気がいいと　　　　　　b 天気がいいなら　　　　　c 天気がいいのは

8 おめでとうございます。（　　　）よかったですね。

　　a 合格できると　　　　　　b 合格できて　　　　　　　c 合格できれば

10課

1 先生が「話を（　　　）。」と言っているのに、まだみんなしゃべっています。

　　a やめ　　　　　　　　　　b やめれ　　　　　　　　　c やめろ

2 今すぐ金を（　　　）と言われても困ります。来週必ず払いますから、待ってください。

　　a 払う　　　　　　　　　　b 払え　　　　　　　　　　c 払える

3 A「そんなに笑わないでくださいよ。」

　　B「（　　　）と言われても、おかしくてどうしても笑ってしまいますよ。」

　　a 笑って　　　　　　　　　b 笑え　　　　　　　　　　c 笑うな

4 【張り紙】部屋を出るときは電気を（　　　）こと。

　　a 消す　　　　　　　　　　b 消している　　　　　　　c 消した

5 【立て札】芝生に（　　　）。

　　a 入らないこと　　　　　　b 入れないこと　　　　　　c 入らないことだ

6 森田君、いつも遅いね。新入社員はもっと早く会社に（　　　）だよ。

   a 来べき　　　　　　　b 来るべき　　　　　　c 来べき

7 そんなにたくさんのお金を友だちから（　　　）。友だちも困るだろう。

   a 借りるべきではない　　b 借りるべきだ　　　　c 借りないべきだ

8 日本の法律では、二十歳になっていない人はお酒を（　　　）。

   a 飲めません　　　　　　b 飲むべきではありません　c 飲むことではありません

9 机の上が暗すぎませんか。もう少し（　　　）どうですか。

   a 明るくなったら　　　　b 明るくしたら　　　　c 明るかったら

10 ちょっと調べたいことがあるんですが、このパソコンを（　　　）。

   a 使ったらどうですか　　b 使うのがどうですか　　c 使ってもいいですか

9課・10課

1 わあ。ゆう子さん、着物が似合いますね。国の家族に見せたいので、写真を（　　　）。

   a 撮ってもいいですか　　b 撮ったらどうですか　　c 撮ってほしいのですが

2 来月わたしたちのダンスの発表会があります。ぜひ皆さんで見に（　　　）です。

   a 来たい　　　　　　　　b 来てほしい　　　　　c 来させてほしい

3 じょうだんを（　　　）です。わたしはまじめに話しているんです。

   a 言わないといい　　　　b 言わないでもらいたい　c 言わせないでほしい

4 すみません。このピアノ練習室をわたしにも（　　　）のですが。

   a 使ってもらいたい　　　b 使われるといい　　　c 使わせてほしい

5 どの学校を選ぶか、もっとよく考えて（　　　）と今では残念に思っている。

   a 決めるべきだった　　　b 決めるといい　　　　c 決めたらどうか

6 店長、わたしたちにもう少し休みを（　　　）。働きすぎです。

   a とったらどうですか　　b とればいいです　　　c とらせていただきたいです

7 彼女にあんなことを言う（　　　）。きっと彼女は怒っているだろう。

   a べきではなかった　　　b ことではなかった　　c わけではなかった

8 入国するときも出国するときも、空港でパスポートを（　　　）。

   a 見せるべきです　　　　b 見せるといいです　　c 見せなければなりません

9 9時半か。弟の試験は9時からだと言っていたから、もう始まっている（　　　）。

   a といい　　　　　　　　b はずだ　　　　　　　c べきだ

11課 ～（よ）うと思う

1 ～ことにする・～ことにしている

→第1部 G

①冷蔵庫がこわれたので、新しいのを<u>買うことにした</u>。

②口を出すと怒られるので、何も言わないで黙っている<u>ことにした</u>。

③娘「お父さん、今度の休みにディズニーランドに連れていってよ。」

　父「よし、わかった。じゃ、友だちとゴルフに行く約束は<u>断ることにするよ</u>。」

④部長の言葉はいつもとてもきびしいが、わたしは気にしない<u>ことにしている</u>。

🖋 動 辞書形／ている／ない形　＋ことにする

　　動 辞書形／ない形　＋ことにしている

☞ 「～と決める。」「～ことにした」という形で使うことが多いが、③のようにその場の決心を表すこともある。④のように「～ことにしている」の形は、決心したことを今も続けていることを表す。～は意志的動作を表す動詞。

I have decided to ~. It is often used in the form ～ことにした, but it may also be used to express a decision made on the spot (as one speaks), as in ③. The form ～ことにしている, as in ④, indicates that the decision made is still in force. ~ is a verb that expresses intentional behavior.

表示"我决定～"，常使用过去式形式「～ことにした」，也可以使用非过去式形式表示当场所下的决心，如③。使用「～ことにしている」的形式时，表示不光以前就决定了这样做，这一点现在也没有改变，如④。～为表示某个意志性动作的动词。

2 ～ようにする・～ようにしている

→第1部 G

①水や電気は大切に<u>使うようにしましょう</u>。

②妻「あなたの帰りが毎日遅いから、子どもたちがさびしがっているわ。」

　夫「そうか。これからはもっと<u>早く帰るようにするよ</u>。」

③集合時間に遅れない<u>ようにしてください</u>。

④わたしはなるべく自分で料理を作って<u>食べるようにしている</u>。

🖋 動 辞書形／ない形　＋ようにする・ようにしている

☞ 「～する／しないことを心がける。」④のように「～ようにしている」の形は、努力を続けていることを表す。～は意志的動作を表す動詞。

Take care to ~/not to ~. When ～ようにしている is used, as in ④, it indicates continued resolve or commitment. Used with verbs expressing intentional behavior.

表示"努力做到～"或是"努力不要～"。使用「～ようにしている」的形式时，表示说话人为实现某个目的或避免出现某个事态而正在付出努力，如④。～为表示某个意志性动作的动词。

3 ～（よ）うとする

①あの子は一生けんめい手を伸ばして、テーブルの上のおもちゃを取ろうとしている。

②きのうの夜は眠ろうとしてもなかなか眠れなかった。

③家を出ようとしたとき、突然大雨が降り出した。

④重い荷物を持ち上げようとしたら、腰が痛くなってしまった。

⑤いくら勧めても夫は病院へ行こうとしない。

⑥父に事情を説明しようとしたが、父は話を聞こうとはしなかった。

動 う・よう形　＋とする

☞「～を実現させることを試みる。」③④のように、～の行為の直前であることを表すこともある。
⑤⑥のように、否定の形は話者以外が主語で、～する意志が全くないことを表す。

Try to ~ (do something). Can also mean "just as I was about to," as in ③ and ④. With the negative form, as in ⑤ and ⑥, the subject is another person. Here, it expresses a total absence of intent.

表示"试图～"。除此以外，它也可以用于表示"就在即将～的时候"，如③④；或表示"某人根本没有～的念头"，如⑤⑥，此时句子的主语不能为说话人。

4 ～つもりだ

①わたしは今年77歳ですが、まだまだ若いつもりです。

②じょうだんで言ったつもりの言葉だったが、彼は怒ったような顔をした。

③先に入社した由美は先輩のつもりらしいが、本当はわたしの方が年上なのだ。

④こんなに汚いのに、それでも掃除したつもりですか。

普通形（ナ形 <del>だ</del> -な・名 <del>だ</del> -の）　＋つもりだ

＊この使い方の場合、動 辞書形・ない形にはつかない

☞「（実際はそうではないが・ほかの人はそう思わないかもしれないが）自分では～の気持ちを持っている。」④のように相手を非難する言い方にもなる。

Means something like "this at any rate is my feeling about ~," (though in reality things may be different, or others may disagree). Can also be used to criticize another person, as in ④.

表示"（虽然实际情况并非如此或是别人并不这样认为，但）自己觉得～"。可用于对听话人进行指责，如④。

12課 敬語（けいご）

1. 尊敬語（目上の人の行為を言う）

Respectful language: Used to refer to the actions of superiors.／尊他语（用于表示长辈或上司的行为）

（先生は）	ふつうの言い方
今日は何時ごろ**お帰りになります**か。 何年に大学を**ご卒業になった**のですか。 明日の会議には出席**されます**か。	（一般の動詞文）
こちらにお名前を**お書きください**。 ぜひ**ご連絡ください**。	〜てください
研究会の会長**でいらっしゃいます**。 お元気**でいらっしゃる**そうです。	〜だ
京都に住ん**でいらっしゃいます**。 何を**お探し**ですか。 新エネルギーを研究**しておいでになります**。	〜ている
推薦書を書い**てくださいました**。	〜てくれる
いつわたしの国へ**いらっしゃいました**か。 いつわたしの国へ**おいでになります**か。 さきほど**見えました**よ。	来る
来月アメリカへ**いらっしゃいます**。 来月アメリカへ**おいでになる**ようです。	行く
今晩はお宅に**いらっしゃる**でしょう。 今晩はお宅に**おいでになります**か。	いる
ゴルフを**なさいます**か。	する
この雑誌を**ごらんになります**か。	見る
和食を**召し上がります**。お酒も**召し上がります**。	食べる・飲む
お名前は何と**おっしゃいます**か。	言う
あの方を**ご存じ**ですか。	知っている

2. 謙譲語1（目上の人に関係のある、自分の行為を言う）

Humble language 1: Verb forms used to describe speaker's own behavior when it involves or affects a superior.

自谦语1（用于表示与长辈或上司有关的自己的行为）

（わたしは）	ふつうの言い方
（先生の）ご本を**お借り**します。（先生を）会場へ**ご案内**します。	（一般の動詞文）
完成品はまだ（先生に）**お見せでき**ません。	（可能の動詞文）
（先生に）ピアノを教え**ていただき**ました。	〜てもらう
（先生の写真を）ちょっと**拝見**します。	見る
（先生に）お礼を**申し上げ**ます。	言う
（先生に）ちょっと**伺い**ますが……。	聞く
あした3時に（先生の）お宅に**伺い**ます。	訪ねる
あした3時に（先生に）**お目にかかり**ます。	会う
（先生に）本を**さしあげ**ます。	あげる

3．謙譲語2（自分の行為をていねいに言う）

Humble language 2: Verb forms used to politely or modestly describe speaker's own behavior.／自谦语2（用于礼貌地表示自己的行为）

（わたしは）	ふつうの言い方
あした3時に**参り**ます。	来る・行く
夜は家に**おり**ます。	いる
片付けは後でわたしが**いたし**ます。	する
刺身も日本酒も**いただき**ます。	食べる・飲む
山中と**申し**ます。	言う
行き先はよく**存じており**ます。	知っている
いくつか方法があると**存じ**ます。	思う

4．丁寧語（自分や相手に関係なく、ものごとをていねいに言う）

Polite language: Verb forms used to say things politely, without consideration of hierarchy of relationship.

礼貌语（用于礼貌的表达，与自己与对方的身份、地位、年龄无关）

	ふつうの言い方
これは新製品**でございます**。	〜だ
パソコン用品は3階に**ございます**。	ある

[11課]

1 今度の日曜日はどこへも行かないで家で（　　　　）ことにした。

  a ゆっくりできる　　　　b ゆっくり休む　　　　c ゆっくり休んでいられる

2 今、週18時間もアルバイトをしている。もうこれ以上（　　　　）ことにした。

  a 増えない　　　　b 増やさない　　　　c 増やせない

3 わたしはもう油の多い料理は（　　　　）ようにしよう。

  a 食べない　　　　b 食べられない　　　　c 食べていない

4 健康のために1日40分は（　　　　）いる。

  a 歩くようにして　　　　b 歩けるようになって　　　　c 歩くようになって

5 薬は好きじゃないと言って、（　　　　）病院から出た薬を飲もうとしない。

  a わたしは　　　　b 山口さんは　　　　c わたしも夫も

6 電車に乗ろうとしたら、（　　　　）。

  a 電車が来た　　　　b 電車のドアが開いた　　　　c 電車のドアが閉まった

7 これ、ねずみに見えますか。自分ではねこを（　　　　）つもりですが……。

  a かく　　　　b かいた　　　　c かこうという

8 この靴下はていねいに（　　　　）つもりだが、まだ完全にはきれいになっていない。

  a 洗濯する　　　　b 洗濯される　　　　c 洗濯した

9 あなたはそれでも（　　　　）つもりですか。プロならきちんと仕事をしてください。

  a プロの　　　　b プロだと思う　　　　c プロらしい

[12課]

1 高橋先生が先週水曜日に帰国（　　　　）。

  a いたしました　　　　b されました　　　　c いたされました

2 客　「あの、わたしの番はまだでしょうか。20分ぐらい待っているんですけど。」

  銀行員「何番の紙を（　　　　）。ああ、12番ですね。では、次です。」

  a お持ちされますか　　　　b お持ちですか　　　　c お持ちしていますか

3 お父様はあなたに何と（　　　　）。

  a 申されましたか　　　　b 申し上げましたか　　　　c おっしゃいましたか

4 わたしはリーと（　　　　）。台湾からの留学生です。

  a 申します　　　　b 申し上げます　　　　c おっしゃいます

5 客 「すみません。牛乳はどこですか。」

店員「あ、牛乳ですか。牛乳はあそこのパン売り場のとなりに（　　　）。」

   a いたします　　　　　　b ございます　　　　　　c おります

6 どうぞご自由にパンフレットを（　　　）ください。

   a お取り　　　　　　　　b いただいて　　　　　　c お持ちして

7 お忙しいとは（　　　）が、できるだけ早くお返事をいただけますか。

   a ご存じます　　　　　　b ご存じです　　　　　　c 存じます

8 では次に、こちらのグラフを（　　　）。

   a ごらんください　　　　b ごらんでください　　　　c ごらんしてください

9 来月国から両親が（　　　）。

   a 見えます　　　　　　　b 参ります　　　　　　　c おいでです

11課・12課

1 駅の改札を（　　　）したとき、切符をなくしたことに気がついた。

   a 出るつもりに　　　　　b 出ようと　　　　　　　c で出るように

2 あさっては大雨が降るそうだよ。ハイキングは来週（　　　）。

   a 行こうとしようよ　　　b 行くことにしようよ　　c 行くようになろうよ

3 弟はさっきからテーブルの上に卵を（　　　）しているが、難しいだろう。

   a 立てようと　　　　　　b 立てることに　　　　　c 立てたつもりに

4 教えていただいたときは（　　　）が、後で自分でやってみたらできませんでした。

   a わかろうとなさいました　b おわかりのことでした　c わかったつもりでした

5 3月3日にうちでパーティーを開く（　　　）ので、ぜひおいでください。

   a ようになさいました　　b ようにしておりました　c ことにいたしました

6 わたしはいつも必ず朝7時のニュースを（　　　）います。

   a 見るようにして　　　　b 拝見するようにして　　c ごらんになることにして

7 では、今度は来週の月曜に（　　　）しましょう。

   a お会いすることに　　　b お会いになることに　　c お会いしようと

8 あの、お荷物が多くて大変でしょう。一つ、（　　　）。

   a お持ちになるようにしますよ　　　　　　　　　b お持ちしますよ

   c お持ちになりますよ

つぎの文の（　　　）に入れるのに最もよいものを、1・2・3・4から一つえらびなさい。

1 課長、今度の工場見学にはわたしもいっしょに（　　　）んですが、いいでしょうか。

1　行ってほしい
2　行っていただきたい
3　行かせたい
4　行かせていただきたい

2 日本語をたくさん話したいから、教室では自分の国の言葉を（　　　）。

1　使うとは限らない
2　使わないようにしている
3　使うことではない
4　使わないわけではない

3 5時ごろ空港から電話があったのだから、そろそろ家に着く（　　　）だ。

1　ばかり
2　つもり
3　はず
4　べき

4 【図書館で】あ、それは持ち出し禁止の資料ですので、（　　　）。

1　お借りできません
2　お貸しできません
3　お借りしません
4　お貸しになりません

5 A「すみません、ちょっとその辞書を（　　　）。」

　B「いいですよ。どうぞ。」

1　借りてもいいですか
2　借りたらどうですか
3　借りてほしいんですが
4　借りるといいですよ

6 先生「皆さん、この書類は大切なので、絶対に（　　　）。わかりましたか。」

1　なくすわけではありません
2　なくさないべき
3　なくすことはありません
4　なくさないこと

7 会社を（　　　）、課長に呼び止められた。

1　出るようにしたら
2　出ている間
3　出ようとしたら
4　出ているうちに

8 A「もしもし、田中ですが、これからお宅に（　　　　）よろしいですか。」

B「ええ、どうぞ。お待ちしています。」

1　おいでになっても　　　　　　　2　伺っても

3　いらっしゃっても　　　　　　　4　お目にかかっても

9 A「お宅のこうちゃん、薬飲まないの？」

B「そうなの。あの子、（　　　　）、いやがって口を開けないのよ。」

1　飲むことにしても　　　　　　　2　飲むつもりでも

3　飲ませたつもりでも　　　　　　4　飲ませようとしても

10 A「あした、柔道の試合に出るんです。」

B「そうですか。自分の力が（　　　　）。」

1　出せるといいですね　　　　　　2　出せたらどうですか

3　出るといいですよ　　　　　　　4　出ればよかったですね

11 店に入りたかったが、もう閉店時間だった。もっと早く来る（　　　　）だった。

1　ほど　　　　　　　　　　　　　2　はず

3　こと　　　　　　　　　　　　　4　べき

12 【美術館で】あの、お客様、どちらへ（　　　　）。この奥は関係者以外は入れませんが。

1　行かれますか　　　　　　　　　2　参りますか

3　おられますか　　　　　　　　　4　見えますか

13 一度失敗しただけで（　　　　）よ。もう少しがんばって。

1　あきらめたわけがない　　　　　2　あきらめたはずがない

3　あきらめるわけではない　　　　4　あきらめるべきではない

文法形式の整理 ┃ A ┃ いろいろな働きをする助詞

文にいろいろな意味を含ませる助詞には次のようなものがあります。

Particles used within sentences can perform a range of functions, as shown below.

助词在句中可以表达出丰富的含义，请参考下面的小结。

助詞	意味	例文
こそ	ほかとはっきり区別して強調する Emphatic particle corresponding to "precisely" when used to underline and differentiate a point. 表示唯一、排他	今度こそ優勝したい。 この資料こそ長い間探していたものだ。 親だからこそ自分の子をきびしくしかるのだ。
でも	極端な例を出して、ほかは当然だと暗に示す Used to imply or show by extreme example that something is obvious. 用于提示极端事例，暗示其他事例自然不在话下。	そんなことは子どもでも知っている。 小さなミスでも見落としてはいけない。 妹は初めて会った人とでもすぐ仲よくなる。
	提案・意志・依頼などの文で例を示す Used in proposals, expressions of intent or requests, meaning "even if it is only …" 表示某个建议、想法或请求。	お茶でも飲みましょうか。 映画でも見ようかな。 荷物は机の上にでも置いておいてください。
も	「全く～ない」と強く否定する Emphatic negative, meaning "not even ～," or "not ～ at all." 表示对否定的强调	1日も休まないで学校に通った。 財布は空っぽだ。1円も残っていない。 この写真、だれにも見せないでくださいよ。
	極端な例を出して、ほかも同じだと示す Used with extreme examples "even." 用于提示极端事例，暗示其他事例与此相同	足が痛くて立つこともできない。 この子はもう難しい漢字も書ける。 こんなに高い山の上にも店がある。
さえ	極端な例を出して、程度の意外さを強調する Used with extreme examples that underline unexpected degree; "even." 用于提示极端事例，表示说话人非常意外的语感	冷蔵庫には卵さえ入っていない。 旅好きな彼は北極にさえ行ったことがある。 学者でさえ解けない問題が試験に出た。
	必要最低限を示す　　　→第1部 6課-3 Indicates a minimum condition necessary (for something to happen); "if only." 用于提示最必要或最低限度的事项	自分さえよければ、それでいいのですか。 雨さえ降らなければ、花火ができる。 人に道を聞きさえすれば、迷子にならないよ。

58 ── 実力養成編　第1部　文の文法1

まで	範囲の広がりの意外性を強調する Emphasizes unexpected extent or scope of something; "even." 表示涵盖范围之广出乎人的意料之外	赤ん坊が泣くと、わたし**まで**泣きたくなる。 借金**まで**して高い車を買わなくてもいい。 会ったことがない人に**まで**年賀状を出した。
ぐらい くらい	軽い程度・最低限を示す Denotes a minimum level or extent. 用于提示程度最低的事项	簡単なあいさつ**ぐらい**なら日本語で言える。 今日は少し**ぐらい**お酒を飲んでもいいね。 日曜日**ぐらい**休ませてくださいよ。
	同じ程度の例を示す　　　→第1部3課-1 Used to express similarity of extent or scale, by citing a similar example. 用于提示程度相仿的事项或事例	卵**ぐらい**の大きさのパンを作った。 うちの娘**ぐらい**の女の子が泣いていた。 この車はわたしにも買える**くらい**の値段だ。
など なんか	提案の文で、ほかにもあるという気持ちで案を示す Used to suggest something or raise alternatives; means "or something like that." 用于委婉提出某项建议暗示尚有其它选择	この服**など**いかがですか。似合いますよ。 食後には果物**など**召し上がりませんか。 連休にどこかに行こうよ。ハワイ**なんか**どう。
	軽く考えること・謙遜の気持ちを表す Similar to above, but in a dismissive sense, meaning "not anything like that." 表示轻蔑或谦虚	お礼**など**要りませんよ。 ダイエット**など**したくない。 わたし**なんか**まだまだ勉強が足りません。
だけ	限定する Expresses limitation; "only." 表示限定	わたしは動物が好きだが、へび**だけ**はいやだ。 母に**だけ**は本当のことを話そうと思う。 彼は黙って聞く**だけ**で何も言わなかった。
	範囲の限界を示す "Only," in the sense of limited range. 表示最大范围	好きな**だけ**食べてもいいよ。 彼は言いたい**だけ**言って帰ってしまった。 やれる**だけ**のことはもうみんなやった。

＊これらの助詞は、助詞のような働きをする言葉の後にもつく。　　　　　→第1部B

These particles can also be appended to words that function like particles (Part 1-B).

这些助词可以接在具有助词功能的形式（第1部 B）后使用。

例 ・わたしは自分の国の歴史について**さえ**よく知らない。
　　・久美さんは親しい友だちに対して**まで**敬語を使う。

練習1 □□□から最も適当なものを選びなさい。

| a こそ | b でも | c さえ | d まで | e ぐらい | f など | g だけ |

1 次の電車までまだ時間があるから、雑誌（　　）読んで待っていよう。

2 お父さんは出張で疲れているだろうから、寝たい（　　）寝させてあげよう。

3 A「自転車を直してくれてありがとうございました。あの、おいくらでしょうか。」

  B「いや、お金（　　）要りませんよ。自転車屋じゃないんですから。」

4 道が込んでいて、自動車も自転車（　　）のスピードでしか走れない。

5 毎朝電車で会う、名前（　　）知らない人を好きになった。

6 A「本当に申し訳ありませんでした。」

  B「いえ、わたしの方（　　）大変失礼しました。」

7 自分のだけでなく、となりに座っていた人の資料（　　）持ってきてしまった。

練習2 どちらか適当な方を選びなさい。

1 あいさつぐらいちゃんと ┌ a できなければだめだ。
                        └ b できて偉いですね。

2 その本は買っただけで、 ┌ a とても面白かった。
                        └ b まだ読んでいない。

3 あの人となんか ┌ a 早く会いたい。
                └ b 二度と会いたくない。

4 この画家の名前は、全く絵に興味がない人でも ┌ a 知っているだろう。
                                            └ b 知らないだろう。

5 苦手な漢字のテストが夢にまで ┌ a 出てくる。
                              └ b 出てこない。

6 わたしはとなりに住んでいる人の顔さえ ┌ a 見たことがある。
                                      └ b 見たことがない。

7 その店にはわたしのほかに客は一人も ┌ a いたかもしれない。
                                    └ b いなかった。

◎（　　　）の中に「も」か「しか」を書きなさい。

1　ここに住所を書くんですか。わたしはまだひらがな（　　　）書けません。ひらがなでいいですか。

2　ここに住所を書くんですか。わたしはまだひらがな（　　　）書けません。ローマ字でいいですか。

3　A「胃の検査をするので、朝から水（　　　）飲んでいないんです。」

　　B「あ、水を飲んだんですか。それじゃ、検査ができないと思いますよ。」

4　A「答えがわかった人はクラスで一人（　　　）いなかったんです。」

　　B「え！　だれもわからなかったんですか。」

◎（　　　）の中に「ぐらい」か「まで」を書きなさい。

5　母は30年も前の細かいこと（　　　）よく覚えている。

6　きのうのこと（　　　）忘れないで覚えていてくださいよ。

7　自分のこと（　　　）自分で考えなさい。

8　10年も前にもらった年賀状（　　　）大事にしまってある。

・・・・・・・・・・・・・・・・・・・・・▼・・・・・・・・・・・・・・・・・・・・・

「も」と「しか」：「〜も」は〜を含む全部を否定する。「〜しか」は〜以外を否定する。

　　　〜も means "not a single," including the 〜 phrase, while 〜しか means "everything else except the 〜 phrase."
　　　使用「〜も」时，所否定的是包括〜在内的所有对象；但使用「〜しか」时，所否定的是除了〜以外的所有对象。

例・一日もひまはない。　　　I do not have a single day off.／一天空也没有。
　・一日しかひまはない。　　　I only get a single day off.／我只有一天空。

「ぐらい・くらい」：「ぐらい」は低い程度、「まで」は高い程度を表す。
と「まで」
　　　ぐらい denotes minimal ability ("can at least do something"), while まで denotes the opposite ("can even do something").
　　　「ぐらい」用于提示程度最低的事项；「まで」用于提示程度最高的事项。

例・卵焼きぐらい作れますよ。　　I can (at least) cook fried eggs.／煎个鸡蛋还是会的。
　・母は豆腐まで自分で作る。　　Mother can even make tofu.／妈妈连豆腐都自己做。

1 〜について…

①すみません、入学手続きについて聞きたいのですが……。
②今、わたしの国の教育についてレポートを書いています。
③この作品についての感想を話していただけませんか。

🎐 名 ＋について

☞ 「〜の内容・〜に関係があることを…する。」 〜は話題を表す言葉。…は「思う・考える・話す・聞く・調べる・書く・説明する・知っている」などの動詞の文。

"… about, regarding …;" introduces a topic. The … phrase uses verbs such おもう, かんがえる, はなす, きく, しらべる, かく, せつめいする or しっている.

表示"〜的内容"或"和〜有关的", 后面多以动词结句。〜用于提示话题, …为由「おもう・かんがえる・はなす・きく・しらべる・かく・せつめいする・しっている」等动词构成的小句。

2 〜に対して…・〜に対する

A①ホテルの人は客に対して非常にていねいな言葉を使う。
②父の意見に対して家族のみんなが反対した。
③新しく工場を作るため、会社側は近所の住民に対して理解を求めた。
④最近、政府に対する批判が大きくなっている。

🎐 名 ＋に対して

　 名 ＋に対する＋名

☞ 「〜に向けて…する・…という態度を示す。」 …は〜への行為や態度などを表す文（求める・文句を言う・感謝する・きびしい・親切だなど）。

No real English equivalent. Means "do something vis-à-vis, regarding," or "have an attitude regarding;" used with words such as もとめる, もんくをいう, かんしゃする, きびしい or しんせつだ.

表示"对〜，采取…的行为"或"对〜，持…的态度"。…表示对〜采取的行为或所持的态度，…常用的形式包括「もとめる・もんくをいう・かんしゃする・きびしい・しんせつだ」等。

B　今年、3月は雨の日が多かったのに対して、4月は少なかった。　　　　　→第1部 4課- 1

3 〜によって…

A①『坊ちゃん』という小説は1906年に夏目漱石によって書かれた。
②この伝統的な祭りは昔からこの地方の人々によって守られてきた。

③ある無名の人によって作られたこの歌を、今ではみんなが歌っている。

📎 名 ＋によって

☞ …は受身文。～はその行為をする人。主に生物以外のものが主語になる受身文の中で、行為をする人を言いたいときに使う。

Denotes passive voice (was … by ~); ~ indicates the agent. In passive sentences where the implied subject is inanimate, によって is often used to indicate the agent.

…为被动句形式，～为动作主体。该表达方式常见于无生物主语被动句，用于提示动作主体。

B　人によって感じ方が違う。　　　　　　　　　　　　　→第1部 2課-[2]

C　タクシー代の値上げによって利用者が減った。　　　→第1部 5課-[2]

---

4 ～にとって…

①日本に住む留学生にとって円高は重大な問題だ。
②若い女性にとって買い物は楽しいことです。
③これはただの石ですが、わたしにとっては忘れられない思い出の品です。

📎 名 ＋にとって

☞ 「～の立場から考えると…だ。」 …は形容詞を含む文が多い。

as far as ~ is concerned, … … is often a phrase containing an adjective.

表示"对～来说，…"。…多为使用形容词的小句。

---

5 ～として…

①リーさんは国費留学生として日本に来た。
②大山君はこの学校の代表として「平和を考える会議」に参加する。
③わたしはコーヒーカップを花びんとして使っています。
④この地方はお茶の産地として有名です。

📎 名 ＋として

☞ 「～という立場、資格、役割、名目で…。」

Means "from the viewpoint of, in the capacity of, in the role of, on behalf of, as a/the ~ ;"

表示"以～的身份、名义"或"作为～"。

練習1 　□□□から最も適当なものを選びなさい。

| a について　　b に対して　　c によって　　d にとって　　e として |

1　自分の両親（　　　）改めて感謝の言葉を伝える機会は、なかなかない。

2　父は数学の教師（　　　）中学校に勤めています。

3　この学校（　　　）インターネットで調べてみた。

4　風力発電は風の力（　　　）風車を回して、電気を起こすものだ。

5　この作家は1920年に医者の家の長男（　　　）生まれた。

6　今、日本文化（　　　）書いてある資料をいろいろ集めています。

7　ボランティアの皆さん（　　　）祭りの会場はもうすっかり整えられました。

8　ある人がつまらないと思うことが、ほかの人（　　　）は面白いということがある。

9　みかんが暖かい地方で作られるの（　　　）りんごは寒い地方で作られる。

10　成長期の子どもたち（　　　）眠ることはとても大切です。

11　服のデザインは時代（　　　）変わる。

12　これから今度の旅行の計画（　　　）ご説明いたします。

13　昔、コーヒーやお茶は薬（　　　）飲まれていた。

14　医学の発達（　　　）さまざまな病気が治るようになってきた。

練習2 　どちらか適当な方を選びなさい。

1　わたしはこの作曲家について ｛ a とても好きです。
　　　　　　　　　　　　　　　　 b 何も知りません。

2　このサービスは80歳以上の一人暮らしの方に対して ｛ a 行われるものです。
　　　　　　　　　　　　　　　　　　　　　　　　　　 b とてもありがたいです。

3　わたしは今日 ｛ a リーさんに　　　　　　 ｝ 誘われて映画を見に行った。
　　　　　　　　 b リーさんによって

4　この問題はわたしにとって ｛ a よく考えなければなりません。
　　　　　　　　　　　　　　　 b 簡単だとは言えません。

5　まだ使えるものがごみとして ｛ a 捨てられている。
　　　　　　　　　　　　　　　　 b もったいないと思う。

ワンポイントレッスン 「〜について」と「〜に対して」と「〜にとって」

◎ □□□ から最も適当なものを選びなさい。

| a について　　b にとって　　c に対して |

1 新しく来た先生 (　　　) みんながうわさをしている。

2 先生 (　　　) その話し方は失礼だ。

3 青山先生 (　　　) 学生たちは自分の子どものようなものだそうだ。

4 今のわたし (　　　) 必要なのは、静かに考える時間だ。

5 あの市長 (　　　) 最も難しいのは、計画を住民に理解してもらうことだろう。

6 あの市長 (　　　) 何かご存じですか。

7 わたしたちはあの市長 (　　　) 計画の中止を求めた。

8 あの市長はわたしたち市民 (　　　) いつも偉そうな態度だ。

・・・・・・・・・・・・・・・・・・・・・・▼・・・・・・・・・・・・・・・・・・・・・・

〜について：〜は思考に関係のある行為 (思う・書く・話す・聞くなど) の内容を表す。

The ~ phrase describes something you have thought, heard or otherwise processed mentally (おもう, かく, はなす, きく, etc).

〜为与思考有关的行为 (「おもう・かく・はなす・きく」等) 的内容。

例 親について文句を言う。(文句の内容は親に関係があること)

〜に対して：〜は行為 (要求する・行うなど) や態度 (親切だ・きびしいなど) が向けられる対象を表す。

The ~ phrase expresses the object of a demand or action (ようきゅうする, おこなう, etc), or of an attitude or judgment (しんせつだ or きびしい, etc).

〜为行为 (「ようきゅうする・おこなう」等) 和态度 (「しんせつだ・きびしい」等) 的对象。

例 親に対して文句を言う。(文句を言う相手は親)

〜にとって：〜は判断や評価をする立場を表す。

The ~ phrase indicates the person making a judgment or evaluation.

〜表示判断或评价方。

例 親にとって子どもの成長は何よりの喜びだ。(喜びだと考える人は親)

B　助詞のような働きをする言葉 ── 65

C 「こと・の」の使い方

「こと」「の」は両方同じように使える場合と、使い分けなければならない場合があります。

In some cases, こと and の may be used interchangeably, but in others they have separate, distinctive uses.

「こと」和「の」之间既存在共性，也存在差异。用法相同时可以互换，存在差异时必须严格区分使用。

◆「こと」だけを使う場合（「の」は使わない）

a）「～は…ことだ」の文で、～の内容を…で示すとき

　　こと only is used when … explains what ~ is in a ～は…ことだ sentence.

　　以「～は…ことだ」的形式表示"～的内容是…"时，只能用「こと」。

例・わたしの将来の夢は、漫画家になること（の）です。（将来の夢＝漫画家になること）

・サッカーというスポーツの特徴は、基本的に手を使ってはいけないこと（の）だ。

・AランチとBランチの違いは、Aが魚料理でBが肉料理であること（の）だ。

b）「こと」を使う文法形式　Grammatical forms using こと.／由「こと」构成的语法形式

　～ことがある　⇒「たまに～の場合がある。」

　　①妻はぼくが話しかけても返事をしないことがある。
　　②以前は仕事が多くて、12時ごろ家に帰ることもあった。

　　動 辞書形／ない形　＋ことがある

　～ことはない　⇒「～する必要はない・～しなくてもいい。」

　　①面接の質問は簡単ですよ。そんなに心配することはありませんよ。
　　②少し熱があるが、ただのかぜだろう。すぐに病院に行くことはない。

　　動 辞書形　＋ことはない

～ということだ・～とのことだ　　　　　　　　　　　　→第1部 7課- 1

～ないことはない　　　　　　　　　　　　　　　　　→第1部 8課- 4

～ことは～が、…　　　　　　　　　　　　　　　　　→第1部 8課- 5

～こと　　　　　　　　　　　　　　　　　　　　　　→第1部 10課- 2

～ことにする・～ことにしている　　　　→第1部 11課- 1 、第1部 G

～ことになる・～ことになっている　　　　　　　　　　→第1部 G

◆「の」だけを使う場合（「こと」は使わない）

a）感覚でとらえた音や光景などを言うとき（「見る・見える・眺める・聞こえる・感じるなど」の動詞を使う。）

の only is used when sounds, sights, etc. are registered by the speaker using his senses; (used with verbs such as みる、みえる、ながめる、きこえる or かんじる).

表示自己亲身感知到的声音或情景时，只能用「の」。此时句子的主动词多为「みる・みえる・ながめる・きこえる・かんじる」等。

例 ・この窓から庭で子どもたちが遊んでいるの (こと) が見える。

・あの日、家が大きく揺れるの (こと) を感じた。

b）「〜のに（は）…」の文で、〜という目的についての評価（便利だ・役に立つなど）を…で言うとき　　　　　　　　　　　　　　　　　　　　　→第3部 1課

の only is used when, in a sentence using 〜のに…, the speaker wishes to express an opinion (…) about an object (~), using words such as べんりだ or やくにたつ.

以「〜のに…」的形式，表示对想实现的事项〜的评价时，只能用「の」。此时，…为表示说话人的评价的小句，如「べんりだ・やくにたつ」等。

例 ・車はこの村で生活するの (こと) にどうしても必要なのだ。

・短時間で食事をするの (こと) にはファストフードがやはり便利だ。

c）「〜のは…だ」の文で、強調したい情報を…で示すとき　　　　　　→第3部 1課

の only is used when the speaker wishes to emphasize information in … in a sentence using the 〜のは…だ pattern.

以「〜のは…だ」的形式，表示说话人想强调的内容是…时，只能用「の」。

例 ・彼女に初めて会ったの (こと) は5年前である。（5年前に彼女に会った。）

・遅く帰ったの (こと) は残業があったからだ。

d）「の」を使う文法形式　Grammatical forms using の.／由「の」构成的语法形式

〜というのは…だ　⇒「〜の意味は…だ。」

①正三角形というのは三辺の長さが同じ三角形のことである。

②「アクセスする」というのはどんな意味ですか。

🔗 名 ＋というのは…だ

〜のではないか・〜のではないだろうか　⇒「〜と思う。」

①こんなに塩辛い食品は体によくないのではないか。

②もしかしたらヤンさんは本当のことを知っているのではないでしょうか。

🔗 普通形 (ナ形 だ -な・名 だ -な)　＋のではないか・のではないだろうか

練習1　適当なものを選びなさい。（一つの場合も二つの場合もあります。）

1　失敗の原因は、しっかり
　　a　準備をしなかったのです。
　　b　準備しませんでした。
　　c　準備しなかったことです。

2　わたしは木の下で
　　a　みんなが踊るの
　　b　みんなが踊ること
　　c　みんなの踊り
　　を見ていた。

3　
　　a　食事に
　　b　食事をするのに
　　c　食事をしに
　　行きませんか。

4　
　　a　泣くのはない
　　b　泣くことはない
　　c　泣かないの
　　だろう。君の将来を考えて言っているんだ。

練習2　（　　　）の中に「の」か「こと」を書きなさい。

1　パソコンはグラフを作る（　　　）に役立つ。

2　わたしはホテルの窓から夕日が沈む（　　　）を見ていた。

3　電車が遅れる（　　　）もあるので、早めに家を出たほうがいい。

4　彼の欠点は時間を守らない（　　　）だ。

5　わたしが泳げるようになった（　　　）は、30歳のときなんです。

6　氷点という（　　　）は水が氷になる、または氷が水になる温度のことである。

7　わたしがたばこをやめた（　　　）は、赤ん坊のことを心配したからだ。

8　慌てる（　　　）はない。時間はまだ十分ある。

9　これからはますます就職が難しくなる（　　　）ではないか。

10　この道具は短時間で野菜を細かく切る（　　　）に便利だ。

11　特別賞をもらった（　　　）はわたしではなくて、ヤンさんという人です。

12　あれ？　あっちの方からだれかが呼んでいる（　　　）が聞こえませんか。

ワンポイントレッスン 「物」と「こと」

◎ (　　　　) の中に「物」か「こと」を書きなさい。

1　由美が作る (　　　　) はいつもとてもおいしいね。

2　おいしい料理を作る (　　　　) はとても楽しい。

3　子どもを育てるという (　　　　) をわたしは大切に考えています。

4　これは何という (　　　　) ですか。触ってみてもいいですか。

5　子どものころ祖母にいつも言われていた (　　　　) を思い出した。

6　友だちに「持ってきてね」と言われていた (　　　　) を家に置いてきてしまった。

7　この作文は先週自習の時間に書いた (　　　　) です。

8　先週作文に書いた (　　　　) は、全部本当です。

9　今日やりたいのは、ここに置いてある (①　　　　) を片付ける (②　　　　) です。

・・・・・・・・・・・・・・・・・・・・・・・・▼・・・・・・・・・・・・・・・・・・・・・・・・

物：　形がある、目で実際に見える実体

Something that has shape and is physically visible to the eye.

有具体的外形，是眼睛能看到的实体。

例・ちょっと見てください。これ、きのう話した物です。

・何か食べる物はありませんか。

・昔、おじが外国で買ってきてくれた物を今でも大切にしている。

こと：形がなく、目で見えない内容

Something lacking shape, and invisible to the eye.

没有具体的外形，是抽象的内容，肉眼无法感知。

例・きのうわたしが話したことは全部本当ですよ。

・わたしたちだけでおいしい物を食べることは、お父さんには黙っていようね。

・昔、おじが外国からお土産を買ってきてくれたことをよく覚えている。

D 「よう」のいろいろな使い方

「よう」を使った文法形式は「似ていることを表すもの」と「期待すること・要求することを表すもの」の二つの意味に分けられます。

There are two main uses for よう: to express similarity, and to express expectation of or a demand for something.

「よう」有两大用法，分别表示比喻、比况和愿望、祈使。

---

1 ～（かの）ようだ・～のようだ・～（かの）ように…・～のように…

→第1部 J

⇒よく似ているものに例えて言う

Used to illustrate how something resembles something else, or to illustrate by metaphor.／表示比喻

①今日は暖かくて、まるで春が来たかのようだ。

②朝から晩までロボットのように働いた。

③バケツをひっくり返したような雨だった。

📝 名 の ＋ようだ・ように ＊③は名詞につく形。

名 だ -である ＋かのような・かのように

動 普通形 ＋（かの）ようだ・（かの）ように

---

2 ～ように…

A⇒大体同じであることを表す Indicates that something is roughly the same.／表示比况

①人間のように、植物にも栄養が必要だ。

②母親が明るい人だったように、その娘たちも性格が明るい。

③わたしたちはあなたが想像しているような関係ではありませんよ。

📝 名 の・普通形（ナ形 だ -な／-である・名 だ -である） ＋ように
＊③は名詞につく形。

B⇒例を示す Cite as an example.／表示举例

①日本語のように、使う文字が3種類もある言語は珍しい。

②わたしはにんじんやピーマンのような濃い色の野菜が好きだ。

③林さんは優しい。林さんのような人とつき合いたい。

📝 名 の ＋ように
＊②③は名詞につく形。

3 ～ように…

A ⇒…の内容がすでに知られていると前置きする

Used at the front of a sentence, indicates that something is already understood or known.

用于句首，表示"…的内容为已知信息"。

①前にも話したように、来週はわたしは日本にいません。

②今朝の新聞に書いてあったように、今年は米のできがいいらしい。

③ご存じのように、日本は台風が多い国です。

〰〰 動 辞書形／た形／ている　＋ように　　＊③は慣用的な言い方なので接続は例外的。

B ⇒期待することを表す。　Expresses a hope or wish.／表示愿望

①よく眠れるようにワインを少し飲んだ。

②池田さんは難しい社会問題をだれにでもわかるように説明する。

③赤ん坊が目を覚まさないようにテレビの音を小さくした。

〰〰 動 辞書形／ない形　＋ように　　＊話者の意志を表さない動詞を使う。

4 ～ように…・～ようにと…・～よう…

⇒要求することを表す　Expresses a demand or request.／表示祈使的内容

①雑誌を買ってくるように頼まれた。

②電車の中では携帯電話で話さないようにと注意された。

③今週中にご返信くださいますよう、お願い申し上げます。

④試験に合格できますように。（祈るときの言い方）

〰〰 動 辞書形／ない形　＋ように・ようにと・よう

＊③④のように、ていねいなお願いの場合はます形を使うこともある。

～ようだ　　　　かぜをひいたようだ。のどが痛い。

～ようになる　　　　　　　　　　　　　　　　　　　　　　　　　　　→第１部G

～ようになっている　　　　　　　　　　　　　　　　　　　　　　　→第１部G

～ようにする・～ようにしている　　　　　　　　　　　→第１部11課-2、第１部G

練習1 □□□□ から最も適当なものを選びなさい。

a ような	b ように	c ようだ

1 祖母ががまん強かった（　　　　）母もよくがまんする。

2 みんなが心配している（　　　　）問題点は、もう解決したのではないだろうか。

3 兄の話し方は実際に自分で見てきたかの（　　　　）から、とても面白い。

4 いつも言っている（　　　　）しっかり食べることは生活習慣の基本なのです。

5 話し合ったことを忘れない（　　　　）今すぐノートに書いておいたほうがいい。

6 わたしの今の立場がまるで王様の（　　　　）とは、だれも思わないだろう。

7 もっと字をていねいに書く（　　　　）注意されてしまった。

8 わたしの日本語の発音はフランス語の（　　　　）と言われた。

9 この本は、だれでも簡単に人形が作れる（　　　　）ていねいに説明してあります。

10 小さい子どもでも食べられる（　　　　）メニューは何かありますか。

11 表からわかる（　　　　）男女の大学進学率はほとんど同じになっています。

12 早くけがが治ります（　　　　）祈っております。

13 かぜをひかない（　　　　）外出から帰ったら手を洗いましょう。

練習2 どちらか適当な方を選びなさい。

1 出発の時間に（a 遅れる　　b 遅れない）ように 6 時に家を出た。

2 この窓からよく（a 見る　　b 見える）ように窓のそばに桜の木を植えた。

3 よく（a 聞く　　b 聞こえる）ように、マイクを使いましょう。

4 希望の大学に（a 入れる　　b 入る）ようにと神様にお願いした。

5 部長から連絡が（a ある　　b あった）ように、今日の会議は 2 時からです。

6 父が喜んで（a 飲みそうな　　b 飲むかのような）お酒を買ってきた。

7 母は地震の後も何もなかったか（a のように　　b ように）落ち着いていた。

8 妹はケーキやあんパン（a のような　　b らしい）甘い物ばかり食べている。

「〜ように」と「〜ために」

◎（　　　）の中に「ように」か「ために」を書きなさい。

1　汚れをきれいに落とす（　　　　　）、特別な洗剤を使ってみた。

2　汚れがきれいに落ちる（　　　　　）、特別な洗剤を使ってみた。

3　この本は、簡単に漢字が覚えられる（　　　　　）、説明が工夫されている。

4　漢字をしっかり覚える（　　　　　）、一つの漢字を何度も紙に書いた。

5　覚えた漢字を忘れない（　　　　　）、ときどき復習している。

6　かぜが早く治る（　　　　　）、ビタミンCをたくさんとっています。

7　自分の店を持つという夢を実現する（　　　　　）、会社を辞めた。

8　太陽の光が部屋いっぱいに入る（　　　　　）、カーテンを大きく開けてください。

9　大学に入る（　　　　　）、わたしはたくさんの準備をしなければならなかった。

10　子どもがいたずらをしない（　　　　　）、書類をきちんと片付けておこう。

• • • • • • • • • • • • • • • • • • • ▼

〜ように：そうなってほしい状態。話者の意志を含まない動詞（無意志動詞・可能の意味の動詞・三人称が主語になる動詞など）につく。動詞の辞書形・ない形につく。

Expresses preference that a particular thing happens. Affixed to verbs that do not include the intention of the speaker (non-volitional verbs, verbs expressing possibility, and verbs for which the subject is a third person). Affixed to the dictionary form of the verb and its ない form.

表示说话人希望实现的状态，接在非意志动词（无意志动词、表可能义的动词、第三人称做主语的动词等）的原形或ない形后面。

例・試合でいい成績が残せるように、みんながんばって練習している。

　・子どもがたくさん野菜を食べるように、料理をいろいろ工夫している。

〜ために：そうしようという行為の目的。話者の意志を含む動詞の辞書形につく。

Indicates the purpose of an action. Affixed to the dictionary form of a verb expressing the will of the speaker.

表示行为的目的，接在表示说话人的意志的有意志动词的原形后面。

例・試合でいい成績を残すために、みんながんばって練習している。

　・食材をむだなく食べるために、料理をいろいろ工夫している。

「わけ」のいろいろな使い方

1 〜わけだ・〜というわけだ

①ここから東京駅まで1時間半か。じゃ、今から出れば9時には着くわけだ。

②ほかに空いている日がなかったから、その日に会うことにしたわけです。

③金曜日は授業が休み、月曜日は祝日だ。つまり、4連休というわけだ。

④夜中に雪が降ったんですね。それで、きのうの夜あんなに寒かったわけですね。

⑤彼女のお父さんは画家ですか。それで、彼女も絵が上手だというわけなんですね。

🪱 普通形（ナ形 だ -な／-である・ 名 だ -の／-な／-である） ＋わけだ

　　普通形（ナ形（だ）・ 名（だ）） ＋というわけだ

☛ 「事情から考えると、当然〜という結論になる。（①②③）」「事情から考えると〜という事実が納得できる。（④⑤）」

Used when an outcome arises naturally from a given set of circumstances, as in ①, ② and ③, or to indicate acceptance of a fact in light of a certain set of circumstances, as in ④ and ⑤.

表示"根据现有情况进行判断，当然会得出〜的结论"（①②③）；或"鉴于某个因素，〜这一事实完全可以理解"（④⑤）。

2 〜わけにはいかない

①親友がお金を貸してほしいと言っている。親友の頼みを断るわけにはいかない。

②今日は車で来たんです。お酒を飲むわけにはいきません。

③かぜをひいてしまったが、大事な会議があるから、会社を休むわけにはいかない。

🪱 動 辞書形 ＋わけにはいかない

☛ 「心理的事情があるので、〜することはできない。」 能力などが原因でできないのではなくて、〜したいが、社会的常識に反する・心理的抵抗感があるなどの事情があってできないという意味で使う。主語はふつう一人称。

Means "because a certain state of mind exists, ~ cannot be done." Not used to mean that something cannot be done for reasons of inability, but indicates that although the speaker wishes to act (~), he is held back by fear of offending social norms, or by personal reservations. The subject is usually the first person.

表示"由于某种心理上的原因，不能〜"。它不用于表示能力不够以至于不能做某事，而是表示虽然有意愿做某事，但因为这种做法有悖社会伦理或自己心理上无法接受才不能做某事。使用该表达方式时，句子的主语通常为第一人称。

3 ～ないわけにはいかない

①この町では自転車がないとやはり困る。買わ<u>ないわけにはいかない</u>。

②本当に暑いですけど、何も着<u>ないわけにはいきません</u>よね。

③このＣＤ、ずっと持っていたいけど、図書館のだから返さ<u>ないわけにはいかない</u>。

🔖 動ない形 ＋わけにはいかない

☞ 「心理的事情があるので、～しなければならない。」 規則などで決まっていて～しなければならないのではなくて、あまり～したくないが、社会的常識・心理的義務感があってそうする必要があるという意味で使う。主語はふつう一人称。

To have to ~ because a certain state of mind exists. Not used when the speaker must ~ because of rules, but when the speaker must (reluctantly) do so to conform with public norms or out of a sense of personal obligation. The subject is usually the first person.

表示"由于某种心理上的原因，必须～"。不用于表示碍于规定不得不做某事，而是表示虽然自己不想做某事，但考虑到社会伦理或出于责任感有做某事的必要。使用该表达方式时，主语通常为第一人称。

～わけがない →第1部 8課-1

～わけではない・～というわけではない →第1部 8課-3

1　確かにすばらしいマンションですね。それで、こんなに（　　　）わけですね。

    a　家賃が安い　　　　　　　b　家賃が高い　　　　　　c　家賃を下げる

2　時給1,000円で、1日4時間のアルバイトですか。1日働くと4,000円もらえる（　　　）

  わけですね。

    a　とある　　　　　　　　　b　とする　　　　　　　　c　という

3　この仕事は（　　　）わけではない。経験がある人でなければできない。

    a　やれる人がいる　　　　　b　だれでもやれる　　　　c　だれもやれない

4　夫「このおもちゃ、どうやって遊ぶの？　よくわからない。」

  妻「え？　子どもの物だから、そんなに（　　　）わけがないんだけど……。」

    a　簡単な　　　　　　　　　b　難しい　　　　　　　　c　使える

5　人形に話を聞かせても（　　　）わけがないでしょう。

    a　わかる　　　　　　　　　b　わからない　　　　　　c　わかりにくい

6　国で家族が待っているから、正月には国へ（　　　）わけにはいかない。

    a　帰る　　　　　　　　　　b　帰れる　　　　　　　　c　帰らない

7　荷物が重いけれど、ここに（　　　）わけにはいかない。

    a　置いていく　　　　　　　b　置いていける　　　　　c　置いていかない

8　（　　　）から、これは読むわけにはいかない。

    a　暗くて字が見えない　　　b　友だちの日記だ　　　　c　知らない外国語で書いてある

9　彼女は今、日本にいないのだから、あしたの会に（　　　）。

    a　来るわけがない　　　　　b　来ないわけにはいかない　　c　来るというわけではない

10　こんな難しい問題が3歳の子どもに（　　　）。

    a　できるわけがない　　　　b　できるわけにはいかない　　c　できないわけがない

    a　わけにはいかない　　　b　わけではない　　　c　わけがない

1　スイッチを入れたんだから、赤いランプがつかない（　　　）。変だなあ。

2　自分で実際に見たという（　　　）けど、あの寺は本当に立派だよ。

3　すみません。子どもが熱を出してしまったんで、すぐ帰らない（　　　）んです。

4　ゲームはいけないという（　　　）が、子どもはもっと外で遊んだほうがいい。

5　とにかくやってみよう。何もしなければ成功する（　　　）んだから。

ワンポイントレッスン　「〜はずだ」と「〜わけだ」

◎（　　　）の中に「はず」か「わけ」を書きなさい。

1　実験のやり方を変えてみたんです。今度はきっと成功する（　　　）です。期待していてください。

2　実験のやり方を変えてみたんです。だから、こんなにいい結果が出た（　　　）です。

3　A「はさみはどこ？」

　　B「いつもの引き出しの中にある（　　　）だよ。よく探してみて。」

4　彼は「必ず行くよ。」と言っていたのだから、来る（　　　）ですよ。もう少し待ちましょう。

5　山川さんもこの大会の準備係ですか。それで、こんなに早く来た（　　　）ですね。

6　A「今日、川口さんも会に出席するでしょうか。」

　　B「え？　川口さんは今、日本にはいない（　　　）ですよ。おとといアメリカに行ったんです。」

・・・・・・・・・・・・・・・・・・・・・・・▼・・・・・・・・・・・・・・・・・・・・・

〜はずだ：話者の主観的な推量を言う。確信のある推量。

　　　　Expresses the speaker's subjective evaluation, with a high degree of confidence.
　　　　表示说话人的主观推测，确信程度较高。

　　　例・いい薬を使ったから、きっとすぐ治る<u>はず</u>ですよ。

　　　　・この商品は人気があるから、十日ぐらいで売り切れる<u>はず</u>だ。

〜わけだ：推量ではなくて、当然であると納得したことを言う。

　　　　Expresses the speaker's compliance with or understanding of something as a matter of course, without any process of consideration.
　　　　不表示推测，而用于表示某个理所当然的结论。

　　　例・なるほど、この薬を使えば早く治る<u>わけ</u>ですね。じゃあ使ってみましょう。

　　　　・この薬は1日1袋飲むのですから、十日間で10袋になる<u>わけ</u>ですね。

つぎの文の（　　　）に入れるのに最もよいものを、1・2・3・4から一つえらびなさい。

1　先生にはどの生徒（　　　）同じような態度をとってもらいたい。

1　にとって　　　　　　　　　　　　2　に向いて

3　に対しても　　　　　　　　　　　4　についても

2　A「引っ越し、終わってよかったね。結局いくらかかったの。」
　　B「全部で3万5千円だった。計算していた（　　　）だったよ。」

1　よう　　　　　　　　　　　　　　2　わけ

3　ばかり　　　　　　　　　　　　　4　とおり

3　わたしは夜9時を過ぎたら何も（　　　）。

1　食べないことにしている　　　　　2　食べていないことにした

3　食べたくないのにしている　　　　4　食べていないのにした

4　疲れているときはパソコンの前で少し眠ってしまう（　　　）。

1　のもある　　　　　　　　　　　　2　こともある

3　ことにする　　　　　　　　　　　4　ようにする

5　実際に本人に（　　　）が、リーさんはこの仕事はしたくなかったと思う。

1　聞いたわけではない　　　　　　　2　聞いたようではない

3　聞くだけではない　　　　　　　　4　聞くはずではない

6　小さい子どもに暗い道を一人で（　　　）。だれか迎えに行かなくては。

1　歩くわけにはいかない　　　　　　2　歩かせるわけにはいかない

3　歩かせたらいいだろう　　　　　　4　歩いたらどうだろう

7　医者にお酒を止められているが、ちょっと（　　　）いいだろう。

1　だけでは　　　　　　　　　　　　2　だけでも

3　ぐらいなら　　　　　　　　　　　4　などなら

8　A「あれ、おかしいなあ。田中さんのうちは、確かこの近くなのですが…」

　　B「変ですね。途中で道を（　　　　）ないですか。」

　　1　間違えたのでは　　　　　　　　　2　間違えるはずでは

　　3　間違えるようでは　　　　　　　　4　間違えたことでは

9　学生　　　　　　　「もうすぐ入学試験なんですよ。」

　　となりの家の人「ああ、それで毎日遅くまで勉強を（　　　　）ね。」

　　1　しているわけです　　　　　　　　2　していることです

　　3　しないわけではないんです　　　　4　しないことではないんです

10　「乞うご期待」（　　　　）、「期待していてください」という意味です。

　　1　というのは　　　　　　　　　　　2　というものは

　　3　ということでは　　　　　　　　　4　というのでは

11　意味が正しく（　　　　）、正しい言葉を使いましょう。

　　1　伝えるために　　　　　　　　　　2　伝わるように

　　3　伝わることで　　　　　　　　　　4　伝えることで

12　一度会った（　　　　）どんな人物かわからない。

　　1　ほどなら　　　　　　　　　　　　2　ことでも

　　3　だけでも　　　　　　　　　　　　4　だけでは

13　外国に行くときは、その国のお金（　　　　）知っておいたほうがいい。

　　1　についてさえ　　　　　　　　　　2　に対してさえ

　　3　についてぐらい　　　　　　　　　4　に対してぐらい

F 「ばかり」のいろいろな使い方

1 ～ばかり…

①弟は毎日あきずにカップラーメンばかり食べている。

②寮では同じ国の人とばかり話さないで、いろいろな国の人と会話したほうがいい。

③ありがとうございます。いつもいただくばかりで、お返しもできなくてすみません。

④子どもはただ泣いているばかりで、何があったのかわからなかった。

⑤この写真の女の子は今どうしているのでしょう。彼女の幸せを祈るばかりです。

✍ 名（＋助詞）・動 辞書形／ている　＋ばかり

☞ 「いつも～だけで、ほかのもの・ことはない。」　よくないと思っていることを言う場合が多い。

Always do ~ only, do nothing but ~, there is nothing but ~. Often used to express disapproval.

表示"光是～，没有其他的东西"或"光干～，不干其他的"。多用于表示说话人不认同的某种情形。

2 ～てばかりいる

①祖父は最近怒ってばかりいる。

②二十歳のころは遊んでばかりいた。勉強しなかったことを今は残念に思っている。

③ただ見てばかりいないで、少しは手伝ってくださいよ。

✍ 動 て形　＋ばかりいる

☞ 「ほかのことはしないで、よく～する。」　非難の気持ちで言う。

Repeatedly or continuously ~, without doing other things. Usually used in a critical way.

表示"不干别的，光干～"，有责备的语感。

3 ～ばかりでなく…

①日本人ばかりでなく、世界中の人がエネルギー問題に関心を持っている。

②この番組は、面白いばかりでなく、さまざまなことが学べる。

③彼は町を案内してくれたばかりでなく、この地方の料理もごちそうしてくれた。

✍ 名（＋助詞）・普通形（ナ形 だ -な／ -である・名 だ -である）　＋ばかりでなく

☞ 「～だけでなくて、そのほかにも…。」

Not just ~, in addition there is …

表示"不光～，还…"。

4 ～ばかりだ

A ①一度けんかしてから、彼女とは関係が悪くなるばかりだ。
②外国語はいつも使っていなければ忘れていくばかりだ。
③最近、祖母は気が弱くなるばかりで心配です。

🪢 動 辞書形 ＋ばかりだ

☞ 「〜という一方方向に変化が進んでいく。」 〜は変化を表す動詞（弱くなる・減るなど）。よくない
方向の場合が多い。
Used when a change (よわくなる or へる, etc.) is ongoing. Usually used to express a worsening trend.
表示"事态一味朝着〜的趋势变化"。〜为表示变化义的动词（「よわくなる・へる」等），多用于表示事态不断恶化的情形。

B ①旅行の準備はできました。もう出発するばかりです。
②食事の準備が終わって、もう食べるばかりになっている。
③パーティーの招待状ができ上がって、後は招待客に送るばかりというときになって、ミ
スが見つかった。

🪢 動 辞書形 ＋ばかりだ

☞ 「準備が終わって、後はただ〜するだけの状態だ。」
All is ready, and it only remains to ~.
表示"准备工作已经做好，只等着〜了"。

5 ～たばかりだ

①さっきご飯を食べたばかりなのに、もうおなかがすいてしまった。
②先月結婚したばかりなので、まだ新しい生活に慣れていない。
③買ったばかりのおもちゃがもうこわれてしまった。

🪢 動 た形 ＋ばかりだ

☞ 「〜したすぐ後だ。」
Immediately after ~, or has just ~.
表示"刚〜"。

練習1 （　　　）の中の言葉を適当な形に変えて、＿＿＿の上に書きなさい。

1　どうしたの。さっきから時計を＿＿＿＿＿ばかりいるね。　　　　　　　　　　　（見る）

2　試合は＿＿＿＿＿ばかりですから、これからどうなるかわかりません。　　　　（始まる）

3　この辺りは交通が＿＿＿＿＿ばかりでなく、環境もいい。　　　　　　　　　　（便利だ）

4　最近頭痛が＿＿＿＿＿ばかりなので、医者に相談することにした。　　　　（ひどくなる）

5　雨が＿＿＿＿＿ばかりでなく、風も強くなった。　　　　　　　　　　　　（降り始める）

6　書類はもう書き終わった。後ははんこを＿＿＿＿＿ばかりだ。　　　　　　　　（押す）

7　ボランティアには初めて参加したので、ただ＿＿＿＿＿ばかりだった。　（見ている）

8　＿＿＿＿＿ばかりのころは怖い人だと思ったが、意外に面白い人だった。　　（会う）

9　先生の話を＿＿＿＿＿ばかりでなく、どんどん質問してください。　　　　　　（聞く）

10　先のことを＿＿＿＿＿ばかりいないで、行動してみたらどうですか。　　　　（悩む）

練習2 最も適当なものを選びなさい。

1　わたしはあの有名な歌手に（　　　　）、握手もした。

　　a 会うばかりで　　　　　　b 会ったばかりでなく　　　　c 会ってばかりいないで

2　この店はきのう（　　　　）、まだお客さんが少ない。

　　a 開店ばかりして　　　　　b 開店するばかりで　　　　c 開店したばかりで

3　あのお母さんは携帯電話を（　　　　）、子どもと話もしない。

　　a 見たばかりで　　　　　　b 見たばかりでなく　　　　c 見てばかりいて

4　出席者もそろったので、あとはパーティーが始まるのを（　　　　）。

　　a 待つばかりだ　　　　　　b 待ってばかりいる　　　　c 待ったばかりだ

5　子どもが生まれる日が近づいたが、夫のぼくは何もできない。ただ（　　　　）。

　　a 見守るばかりだ　　　　　b 見守ったばかりだ　　　　c 見守ってばかりいる

6　（　　　　）が、もう忘れてしまった。

　　a 名前ばかり聞いた　　　　b 名前を聞くばかりだ　　　　c 名前を聞いたばかりだ

7　最近彼は疲れているらしく、休日は（　　　　）、何もしない。

　　a 寝るばかりで　　　　　　b 寝たばかりで　　　　c 寝るばかりでなく

8　たばこをやめてから、（　　　　）。

　　a 体重ばかり増える　　　　b 体重が増えるばかりだ　　　　c 体重が増えたばかりだ

◎（　　　）の中に「ばかり」か「ところ」を書きなさい。

1　うちには生まれた（　　　　　）の子犬が3匹います。

2　会議が始まった（　　　　　）に高橋さんが入ってきた。

3　もしもし、今新幹線に乗った（　　　　　）です。そちらに8時に着くと思います。

4　このパソコンはまだ買った（　　　　　）なのに、調子が悪い。

5　彼は1か月前に日本に来た（　　　　　）だそうです。でも、日本語が上手ですね。

6　好きな曲を聞き終わった（　　　　　）で、ちょうど昼休みが終わった。

7　この4月に入社した（　　　　　）なので、まだ会社の人間関係がよくわからない。

▼

〜たばかり：直後の状態だと感じているときに使う。実際に直後でなくても使える。後に「の」をつけて、「〜たばかりの」の形で使うこともできるが、「に・へ・を」をつけて使うことはできない。

Used just after something has happened (in the speaker's view). Can be used when some time has passed too. It is also possible to affix の to make the 〜たばかりの form, but particles, etc. such as に, へ or を cannot be affixed.

即便客观上与〜之间存在一定的时间间隔，只要主观上认为是在〜后不久，就可以使用该表达方式。它后面可以接助词「の」，构成「〜たばかりの」的形式；但不能接「に・へ・を」等。

例・でき上がったばかりのケーキをみんなで食べた。

〜たところ：直後の場面だと言いたいときに使う。実際に直後でなければ使えない。後に「に・へ・を」をつけて使うこともできるが、「の」をつけて「〜たところの」の形で使うことはできない。

Used to mean just after something, in the speaker's view. Can only be used when it is directly afterwards. Can be used with addition of particles に, へ or を, but 〜たところの (that is, with an affixed の) is impossible.

只能用于主句事态客观上的确发生在〜之后不久的情形。它后面可以接「に・へ・を」等，但不能接「の」构成「〜たところの」的形式。

例・もしもし、今、駅に着いたところです。
　　・ケーキができ上がったところへ子どもたちが帰ってきた。

G 「する・なる」の整理

「する」と「なる」の使い分けの基本

する：人の意志的な行為に注目	なる：物事の変化・結果に注目
Focuses on the intentional behavior of the speaker or other person.	Focuses on change in state or result.
关注人的有意志的行为	关注非意志性状态性变化或结果。

わたしは部屋をきれいに**した**。	**部屋は**きれいに**なった**。

する	なる
〜にする・〜くする ⇒状態を変える 　Means to change a state or situation. 　表示人为地改变某种状态 わたしは大きいケーキを半分に**した**。 小魚を食べて、骨を丈夫に**したい**。 電気を消して、部屋を暗**くして**ください。	**〜になる・〜くなる** ⇒状態が変わる 　Used when a state or situation changes of itself. 　表示某种状态客观地发生变化 大きいケーキが半分に**なった**。 小魚をよく食べたので、骨が丈夫に**なった**。 電気を消したので、部屋が暗**くなった**。 最近、この川では魚があまり釣れな**くなった**。
〜にする・〜ことにする ⇒決める　　　　　　　　→第1部11課-1 　Decide (with person as agent). 　表示某个人为的决定 旅行の出発日は8月30日**にしよう**。 連休にハワイに行く**ことにした**。 もうたばこは吸わない**ことにした**。	**〜になる・〜ことになる** ⇒決まる 　Result in, be settled (without human agent being explicitly stated). 　表示某个客观的结果 旅行の出発日は8月30日に**なった**。 来月、出張する**ことになった**。 今年は社員旅行は行わない**ことになった**。

～にしている・～ことにしている
⇒決めたことを続けている

→第1部 11課-①

Continue with a pre-established pattern of action.
表示人为地维持某种状态

昼食はいつもパンにしています。
寝る前に必ず日記を書くことにしている。
レジ袋はもらわないことにしている。

～ようにする　A
⇒ある目的のために変化を起こす

Cause a change for a specific purpose.
表示为实现某一目的做出伴随变化发生的某种行为

机の位置を変えて、仕事中でも外の景色が見えるようにしよう。
ドアに穴を空けて、ねこが通れるようにした。
大事な物はいつも棚の上に置いて、子どもに触られないようにしている。

～ようにする　B
～ようにしている
⇒習慣的に心がける　　→第1部 11課-②

Habitually take care to/not to.
表示把（不）做某事当作一种习惯

暑い日には十分水分を取るようにしましょう。
雪の日は車を運転しないようにしている。
メールにはすぐ返信するようにしている。

～になっている・～ことになっている
⇒決まったことが続いている（決まり・予定）

Pre-established pattern of behavior continues(decided or planned).
表示某种客观存在的状态（规定或既定事项）

毎年、花見の会場は桜公園になっています。
この会社では制服を着ることになっている。
学生は車で通学できないことになっている。
明日、社長は9時の便で中国に行くことになっている。

～ようになる
⇒変化が起きる

A change arises of itself.
表示客观发生某种变化

机の位置を変えたので、仕事中でも外の景色が見えるようになった。
親が楽しそうに家事をしていれば、子どもも進んで手伝うようになる。

～ようになっている
⇒ある目的のためにそう作られている

Means done or arranged in such a way for a specific purpose.
表示为实现某个目的的行为所造成的某种客观状态

この家は屋根にも窓があって、太陽の光が上からも入るようになっている。
トイレに入ると、電気が自動でつくようになっている。
この学校の音楽室は、楽器の音が外の人には聞こえないようになっています。

どちらか適当な方を選びなさい。

1　スープの味が濃かったから、お湯を入れて薄く（a　した　　b　なった）。

2　りんご（a　を赤くしたら　　b　が赤くなったら）、木から取って食べてもいいよ。

3　テレビで紹介されたので、この町の祭りは（a　有名にした　　b　有名になった）。

4　【美容院で】今日は10センチぐらい（a　短くして　　b　短くなって）ください。

5　A「お子さんのかぜ、いかがですか。」

　　B「はい、だいぶよく（a　しました　　b　なりました）。」

6　図書館では古い本は捨てられることに（a　した　　b　なった）。

7　わたしはあした退院できることに（a　しました　　b　なりました）。

8　体重を減らしたいから、ご飯は毎食茶わん1杯だけに（a　しよう　　b　なろう）。

9　今度の冬のオリンピックはどこに（a　しましたか　　b　なりましたか）。

10　わたしは大事なことは何でもメモすることに（a　している　　b　なっている）。

11　この公園では花火をしてはいけないことに（a　している　　b　なっている）そうだ。

12　子どもは何歳で歩けるように（a　するんですか　　b　なるんですか）。

13　食べ物はよくかんで食べるように（a　しましょう　　b　なりましょう）。

14　ねこの目は、入ってくる光の量を調節できるように（a　している　　b　なっている）。

15　先生「大切な書類だから、書き間違えないように（a　すること　　b　なること）。」

どちらか適当な方を選びなさい。

A「リンさん、こんにちは。あれ、どうして部屋を片付けているんですか。」

B「引っ越しする（①a　ことに　　b　ように）したんです。来月から弟といっしょに住む

　（②a　ことに　　b　ように）なったので……。二人で住むのには、ここはちょっと狭いん

　ですよ。今度の所は会社からだいぶ遠くなりますけど。」

A「じゃ、寝坊しない（③a　ことに　　b　ように）しなければね。」

B「ええ。駅からも遠いので、自転車を買う（④a　ことに　　b　ように）しました。」

A「引っ越しはいつなんですか。」

B「急なんですが、あしたの朝9時に引っ越しのトラックが来る（⑤a　ことに　　b　ように）

　なったんです。」

A「それは大変ですね。手伝いましょうか。」

B「いえ、大丈夫です。今から弟と弟の友だちが手伝いに来る（⑥ a ことに　　b ように）
なっていますから。いろいろお世話になりました。」

ワンポイントレッスン　「〜ようにしている」と「〜ようになっている」

◎どちらか適当な方を選びなさい。

1　わたしはなるべく肉よりも（a 魚を食べる　　b 魚が食べられる）ようにしている。

2　うちの台所は、長い時間ガスを使うと（a 火を消す　　b 火が消える）ようになっ
　ている。

3　ホテルでは、お風呂に入っていても（a 電話をかける　　b 電話がかけられる）よ
　うになっている。

4　このおもちゃは面白い。手をたたくと（a 人形を動かす　　b 人形が動く）ように
　なっている。

5　健康のためになるべく（a 体を動かす　　b 体が動く）ようにしてください。

6　このドアは内側からは外が見えるが、外からは（a 中を見ない　　b 中が見えな
　い）ようになっている。

7　新聞のテレビ番組表を見るとテレビが見たくなるので、試験前は（a 見ない
　b 見えない）ようにしているんです。

• ▼ •

〜ようにしている：　　主語はふつう「話者」。〜には意志動詞を使う。

　　　　　　　　　The speaker is normally the subject. ~ is a volitional verb.
　　　　　　　　　主语一般为说话人，〜为有意志动词。
　　　　　　　　　例 わたしはいつも折りたたみのかさを持ち歩くようにしています。

〜ようになっている：主語はふつう、人間ではない。〜には意志を含まない動詞（可能
　　　　　　　　　を表す動詞や三人称が主語の動詞など）を使う。

　　　　　　　　　Subject is not usually a person. ~ uses a non-volitional verb (verbs expressing potential and verbs
　　　　　　　　　with a third person subject, etc.).
　　　　　　　　　主语一般为无生物，〜为非意志动词（表可能义的动词、第三人称做主语的动词等）。
　　　　　　　　　例 このいすは軽くて小さく折りたためるので、楽に持ち運べる
　　　　　　　　　ようになっています。

H 「たら・ば・と・なら」の特別な使い方

「たら・ば・と・なら」には、「もし…」という仮定条件の意味以外にもいろいろな使い方があります。

たら, ば, と and なら have many additional functions to their hypothetical meaning of もし.

「たら・ば・と・なら」除了可以表示假设以外，还有许多其他的用法。

1 〜と…た・〜たら…た

A ①プレゼントを開けると、人形が入っていた。

②玄関を出ると、そこに大男が数人いた。

③窓の外を見たら、真っ白な雪景色だった。

🔗 動 辞書形 ＋と

動 たら

☞ 「〜の動作をすることで、…という事実に気がついた。」 …は前から続いている状態を表す文で、少し意外感がある内容。「…ていた」の形がよく使われる。〜と…の主語は違う。

After ~ (verb), suddenly notice … (with slight surprise). … is a preexisting state. The …ていた form is often used. The subject of the ~ clause differs from the subject of the … clause.

表示"〜之后，突然发现…"。…为表示之前就一直持续存在的某种状态的小句。使用该表达方式，可以表示说话人做了某一动作之后，意外地发现了某一事实。主句动词常使用「…ていた」的形式。小句〜和小句……的主语不是同一主语。

B ①夜12時ごろテレビを見ていると、アメリカの友だちから電話がかかってきた。

②コーヒーショップでマキさんのうわさをしていると、偶然マキさんが入ってきた。

③庭の掃除をしていたら、突然大雨が降り出した。

🔗 動 ている ＋と

動 ていたら

☞ 「〜の動作をしているときに、偶然…が起こった。」 〜は「〜ていると・〜ていたら」の形が多い。…は動詞の文で、話者の意志を含まない、意外感がある内容。

While doing ~ (verb), … happened by chance too. The ~ clause often uses the 〜ていると or 〜ていたら form. … is a verb phrase, and does not express the will of the speaker. Usually the event (…) is somewhat surprising.

表示"在做〜的时候，忽然…"。〜常使用「〜ていると・〜ていたら」的形式，…的谓语动词不表示说话人的有意志的动作，而表示某个意外发生的事项。

C ①久しぶりに高校の先生に手紙を出すと、すぐに返事が来た。

②箱を開けると、おもちゃが飛び出した。

③料理にちょっとお酒を入れてみたら、いい味になった。

✎ 動 辞書形 ＋と

　 動 たら

☞ 「～の動作がきっかけになって、…が起こった。」　…は動詞の文で、話者の意志を含まない文。

As a result of ～ (verb), …. happened. … is a verb phrase, and does not express the will of the speaker.

表示"做了动作～，结果…"。…的谓语为动词，不表示说话人的有意志的动作。

---

2 ～と…た

①その男はわたしの顔を見ると、すぐに逃げていってしまった。
②先生は教室に入ってくると、すぐ試験問題を配り始めた。
③ゆき子は飛行機から降りると、どこかに電話をかけた。

✎ 動 辞書形 ＋と

☞ 「～の動作の後、続けてすぐ…した。」　～と…の主語は同じ。

After ～ (verb), (sentence subject) immediately … (verb). The subject remains the same.

表示"做了动作～后，马上就…（了）"。使用这一表达方式时，主句…和小句～为同一主语。

---

3 ～も…ば～も…・～も…なら～も…

①人生には楽しい時もあればつらい時もある。
②妻はお酒もよく飲めば甘い物もたくさん食べる。
③そんな人、会ったこともなければ名前を聞いたこともありません。
④松本さんは趣味が多い。スポーツも好きならピアノも弾くらしい。
⑤前回も雨なら今回も雨か……。ぼくたちの旅行はいつも運が悪いね。

✎

名 ＋も
{
動 ば形
イ形 い -ければ
ナ形 なら
名 なら
}
＋ 名 ＋も

☞ 「～も…し、～も…・～も～も両方…。」　「も」を2回使う。

These constructions mean "both ～ and …;" も appears twice.

表示"～是…，～也是…"或"～和～都是…"。在这种表达方式中，「も」要出现两次。

練習1　どちらか適当な方を選びなさい。

1　3時に駅で待ち合わせした。駅に着くと、彼女はもう（a 来た　　b 来ていた）。

2　引き出しを開けると、手紙が（a あった　　b 入った）。

3　テレビをつけたら、昔見た映画を（a 見た　　b やっていた）。

4　おもちゃを振ってみると、いい音が（a した　　b していた）。

5　少しお酒を飲むと、（a 踊りたくなった　　b 踊りたかった）。

6　山道を歩いていたら、（a へびが出てきた　　b へびを捕まえた）。

7　図書館に行ったら、（a 今日は休みだった　　b たくさん本を借りた）。

8　時計を見ると、もう12時を（a 過ぎた　　b 過ぎていた）。

9　公園のベンチで休んでいると、おじいさんが（a 近づいてきた　　b いた）。

10　チャイムが鳴ったので玄関の外に出ると、宅配便の人が（a 来た　　b いた）。

練習2　最も適当なものを選びなさい。

1　目が痛いので、鏡で（　　　　）、赤かった。

　　a 見てみると　　　　　　　b 見ていると　　　　　　　c 見ていたら

2　店で友だちを（　　　　）、携帯電話に「今日は行けない」という連絡が来た。

　　a 待つと　　　　　　　　　b 待っていると　　　　　　c 待てば

3　部長はわたしたちの話を（　　　　）、大きくうなずいた。

　　a 聞くと　　　　　　　　　b 聞いていたら　　　　　　c 聞いていると

4　その女性は店に（　　　　）、窓の近くの席に座った。

　　a 入っていたら　　　　　　b 入れば　　　　　　　　　c 入ると

5　弟は朝（　　　　）、顔も洗わないでどこかに出かけていった。

　　a 起きたら　　　　　　　　b 起きれば　　　　　　　　c 起きると

6　変な音がしたので、窓を（　　　　）外を見た。

　　a 開けたら　　　　　　　　b 開ければ　　　　　　　　c 開けて

7　家に（　　　　）、友だちがドアの前で待っていた。

　　a 帰ると　　　　　　　　　b 帰るなら　　　　　　　　c 帰って

8　今は（　　　　）お金もない。旅行は無理だ。

　　a 忙しければ　　　　　　　b ひまもなければ　　　　　c 時間もあれば

◎どちらか適当（てきとう）な方（ほう）を選（えら）びなさい。（両方（りょうほう）いい場合（ばあい）もあります。）

1　車（くるま）を（a 貸（か）してもらえると　　b 貸（か）してもらえれば）、ドライブに行（い）きたい。

2　早（はや）く仕事（しごと）が終（お）わったら、（a 飲（の）みに行（い）けるね　　b 飲（の）みに行（い）きませんか）。

3　早（はや）く予約（よやく）すれば、（a いい席（せき）を取（と）る　　b いい席（せき）が取（と）れる）。

4　部屋（へや）が暑（あつ）ければ、（a 窓（まど）を開（あ）けてください　　b 窓（まど）を開（あ）けますよ）。

5　時間（じかん）が（a なければ　　b なかったら）、買（か）い物（もの）はあきらめるつもりだ。

6　マフラーを（a 作（つく）れば　　b 作（つく）ったら）、彼（かれ）にあげようと思（おも）う。

7　店（みせ）の（a 電話番号（でんわばんごう）を調（しら）べれば　　b 電話番号（でんわばんごう）がわかれば）、電話（でんわ）してみます。

・・・・・・・・・・・・・・・・・▼・・・・・・・・・・・・・・・・・

＊〜が動（うご）きを表（あらわ）す動詞（どうし）の場合（ばあい）

When the verb of the たら phrase expresses movement.／〜为表示动作或变化的动词时

「〜たら…」の…はどんな文（ぶん）でもいいが、「〜ば…・〜と…」の…には話者（わしゃ）の意向（いこう）を表（あらわ）す文（ぶん）や働（はたら）きかけの文（ぶん）は来（こ）ない。

The … of 〜たら… clauses be any kind of statement, but the … in 〜ば… or 〜と… clauses cannot express the speaker's intentions or inducements of others.

「〜たら…」的小句…可以表示任意内容，但「〜ば…・〜と…」的小句…不能表示说话人的意愿或是祈使形式。

×　大雪（おおゆき）が降（ふ）ると家（いえ）にいよう。　　　×　大雪（おおゆき）が降（ふ）れば家（いえ）にいなさい。

○　大雪（おおゆき）が降（ふ）ると／降（ふ）れば出（で）かけられない。

＊〜が形容詞（けいようし）や状態（じょうたい）を表（あらわ）す動詞（どうし）（ある・いる・できるなど）の場合（ばあい）

When the predicate of the たら phrase is an adjective or a verb of state (ある, いる, できる, etc).

〜为形容词或表示某种状态的动词（如「ある、いる、できる」等）时

「〜たら…・〜ば…」の…はどんな文（ぶん）でもいいが、「〜と…」の…には話者（わしゃ）の意向（いこう）を表（あらわ）す文（ぶん）や働（はたら）きかけの文（ぶん）は来（こ）ない。

The … of 〜たら… and 〜ば… clauses can be any kind of statement, but the … of 〜と… clauses cannot express the speaker's intentions or inducement of others.

「〜たら…・〜ば…」的小句…可以表示任意内容，但「〜と…」的小句…不能表示说话人的意愿或是祈使形式。

×　お金（かね）があると車（くるま）を買（か）うつもりだ。

○　お金（かね）があれば車（くるま）を買（か）いたい。　　　○　お金（かね）があると／あれば車（くるま）が買（か）える。

後に決まった表現が来る副詞

副詞には、後に決まった表現をいっしょに使うものがあります。

Some adverbs have to be used together with certain grammatical forms.

有的副词在使用时要求有特定形式与之共现。

副詞	いっしょに使う表現	例文
全く 少しも そんなに そう たいして 決して めったに	〜ない	母は英語が**全く**わから**ない**。 この町は10年前と**少しも**変わって**いない**。 この問題は**そんなに**難し**くない**です。 病気のことは**そう**心配する必要は**ない**。 そのニュースは**たいして**重要では**なかった**。 このことは**決して**人には言わ**ない**でください。 わたしは**めったに**外で食事し**ない**。
すでに	〜た 〜ている 〜てある	この問題は**すでに**解決し**た**。 **すでに**食事の準備はでき**ている**。 ホテルは**すでに**予約して**ある**。
少しずつ 次第に ますます	変化を表す動詞 (〜くなる・増える・やせるなど)	庭に植えた木が**少しずつ**大きくなってきた。 秋になると、木の葉が**次第に**色づく。 世界の人口は**ますます**増えている。
そのうち 今に	動きを表す動詞(ふつう、過去形は使わない。)	練習すれば、**そのうち**できるようになるだろう。 **今に**電気自動車がふつうになる時代が来る。
もしかしたら もしかすると	〜かもしれない 〜のではないか 〜のではないだろうか	**もしかしたら**今晩は雪になる**かもしれない**。 **もしかすると**山田さんはうそをついている**のではないか**。
おそらく	〜だろう 〜と思う 〜のではないか 〜のではないだろうか	この仕事は**おそらく**今日中にできない**だろう**。 これは**おそらく**1000年ぐらい前の皿だ**と思う**。 **おそらく**日本人のほとんどがこの歌を知っている**のではないだろうか**。
どうも	〜ようだ 〜らしい	**どうも**計算が間違っている**ようだ**。 山口さんは**どうも**お酒が好きではない**らしい**。
今にも	〜そうだ	空が暗くなって、**今にも**雨が降り出し**そうだ**。

まるで ちょうど	〜ようだ 〜みたいだ	この人形は**まるで**生きているようだ。 二つの点が**ちょうど**目みたいに見える。
ぜひ なんとかして	〜てください 〜たい 〜てほしい	**ぜひ**今度わたしの国に遊びに来てください。 **ぜひ**先生のお話をお聞きしたいです。 今度の実験は**なんとかして**成功させたい。 **なんとかして**この人を捜してほしい。
どうか	〜てください 〜てほしい	**どうか**わたしの失敗を許してください。 いい方法があるなら、**どうか**教えてほしい。
もしも 万一 万が一	〜ば 〜たら 〜なら 〜場合は 〜ても／〜でも	**もしも**熱が下がらなければ、この薬を飲む。 **もしも**選べるなら、男に生まれたかった。 **万一**問題がある場合は、相談してください。 **万一**お金が足りなくても、カードで払える。 **万が一**大雨でも、試合は行います。
どんなに いくら たとえ →第1部 6課-④	〜ても／〜でも	**どんなに**好きな物でも、毎日食べればあきる。 **いくら**がんばっても、これ以上速く走れない。 この時計は、**たとえ**水中に落としても大丈夫だ。
せっかく	〜のに 〜ても／〜でも 〜のだから	**せっかく**宿題をやったのに、家に忘れてきた。 **せっかく**料理を作っても、食べてもらえない。 **せっかく**温泉に来たのだから、のんびりしたい。
ただ	〜だけ	わたしの願いは**ただ**一つだけだ。

練習1　最も適当なものを選びなさい。

1 （　　　　）外国で病気になった場合は、どうすればいいでしょうか。

　　a 万一　　　　　　　　　　b ちょうど　　　　　　　c どうか

2 今日の会議は（　　　　）長くかかるだろう。

　　a そう　　　　　　　　　　b ぜひ　　　　　　　　　c おそらく

3 今日は（　　　　）寒くないので、上着は要らないと思う。

　　a ただ　　　　　　　　　　b たいして　　　　　　　c なんとかして

4 富士山の山頂から見る日の出は、とても美しいそうだ。（　　　　）見てみたい。

　　a ぜひ　　　　　　　　　　b 決して　　　　　　　　c どんなに

5 あの人は（　　　　）王様のように人に命令するから困る。

　　a たとえ　　　　　　　　　b たいして　　　　　　　c まるで

6 救急車の音は、（　　　　）小さくなっていった。

　　a 次第に　　　　　　　　　b おそらく　　　　　　　c せっかく

7 （　　　　）彼は約束の場所を間違えたのかもしれない。

　　a 万一　　　　　　　　　　b もしも　　　　　　　　c もしかしたら

8 （　　　　）笑わなくてもいいじゃありませんか。

　　a いくら　　　　　　　　　b そんなに　　　　　　　c どんなに

9 わたしは彼の不正を（　　　　）許さない。

　　a ぜひ　　　　　　　　　　b 決して　　　　　　　　c なんとかして

10 今日は（　　　　）品物を見ていただけで、何も買わなかった。

　　a ただ　　　　　　　　　　b いくら　　　　　　　　c せっかく

11 あの人はいつもまじめな顔をして、（　　　　）笑わない。

　　a ますます　　　　　　　　b そのうち　　　　　　　c めったに

12 わたしはその事件とは（　　　　）関係がない。

　　a 全く　　　　　　　　　　b 万一　　　　　　　　　c ちょうど

13 （　　　　）怒らないでわたしの話を聞いてください。

　　a どうか　　　　　　　　　b どうも　　　　　　　　c どんなに

14 駅に着いたときには、電車は（　　　　）出ていた。

　　a 今に　　　　　　　　　　b すでに　　　　　　　　c まるで

練習2 最も適当なものを選びなさい。

1 財布が見つからない。もしかするとどこかで（　　　）。
　　a 落としただろう　　　　　b 落としたと思う　　　　　c 落としたかもしれない

2 今日の午後は次第に気温が（　　　）でしょう。
　　a 上がる　　　　　　　　　b 高い　　　　　　　　　　c 変わらない

3 転んだ子どもは今にも（　　　）顔をしていた。
　　a 泣いた　　　　　　　　　b 泣きそうな　　　　　　　c 泣くような

4 この展覧会に来た人はすでに1万人を（　　　）。
　　a 超えた　　　　　　　　　b 超えるだろう　　　　　　c 超えていない

5 もしも入院することに（　　　）、仕事を休まなければならない。
　　a なって　　　　　　　　　b なったら　　　　　　　　c なったから

6 せっかくカメラを（　　　）、みんなで写真を撮ろう。
　　a 持ってきて　　　　　　　b 持ってきたら　　　　　　c 持ってきたのだから

7 A「この映画どうだった？　面白かった？」

　　B「たいして（　　　）。」
　　a 面白かったよ　　　　　　b 面白くなかったよ　　　　c つまらなかったよ

8 今日中になんとかしてこの仕事を（　　　）。がんばろう。
　　a 終わらせたい　　　　　　b 終わらせられない　　　　c 終わらせるだろう

9 たとえ（　　　）会社には行かなければならない。
　　a 大雪でも　　　　　　　　b 大雪では　　　　　　　　c 大雪なのに

10 まだ試合の途中なのに、まるでもう（　　　）みんな大喜びしている。
　　a 勝ったので　　　　　　　b 勝ったように　　　　　　c 勝ったらしく

11 この資料はそんなに（　　　）。
　　a 役に立つかもしれない　　b 役に立つはずだ　　　　　c 役に立たないだろう

12 日本語の勉強を始めてから、少しずつ（　　　）。
　　a 話せる　　　　　　　　　b 上手になってきた　　　　c わからない

13 国に帰ってもどうか（　　　）。
　　a 忘れないでください　　　b 手紙を書きたいです　　　c 遊びに来ませんか

J 動詞や名詞の意味を広げる文法形式

動詞や名詞に別の言葉をつけると、その動詞や名詞の意味を広げることができます。

You can broaden the meaning of verbs and nouns by adding other words to them.

动词或名词后接某些语法形式，可以表示更为丰富的意义。

A ある動作のどの段階かを表す　Expresses the stage an action has reached.／表示体态意义的语法形式

文法形式	意味	例文
〜かける 〜かけだ	全部〜し終わっていない Indicates that an action is not complete. 表示已经开始、尚未完结	彼女は何か言い**かけて**、黙ってしまった。 母は読み**かけ**の本をおいて、買い物に出かけた。 動 ます ＋かける・かけだ
〜きる	全部／完全に〜する Indicates completion of a task or action. 表示完结	40キロの長い距離を走り**きった**。 こんなにたくさん、一人では食べ**きれない**。 動 ます ＋きる
〜通す	最後まで〜し続ける Continue until completion, until the end. 表示持续、直至完结	自分で決めたことは最後までやり**通そう**。 彼は何を聞かれても黙り**通した**。 動 ます ＋通す
〜出す	（突然・急に）〜し始める Begin something suddenly. 表示（突然）开始	彼はわたしの顔を見ると、突然笑い**出した**。 電池を入れ替えたら、おもちゃの車が急に動き**出した**。 動 ます ＋出す

B 特徴・状態・様子を表す

Expressing the characteristics, condition or appearance of something.／表示特征、状态、形状的语法形式

文法形式	意味	例文
〜やすい	簡単に〜できる 簡単に〜してしまう Means that something can happen, or is done, easily; "easy to 〜," or "it can easily 〜." 表示"容易〜"、"易于〜"	田中先生の話はわかり**やすい**。 薄くて破れ**やすい**紙だから気をつけて。 動 ます ＋やすい

～にくい	簡単に～できない 簡単には～しない Means that something cannot happen or be done easily; "not easy to ～," or "it cannot easily ～." 表示"不容易～"、"难以～"	この肉は硬くて食べ**にくい**。 丈夫で割れ**にくい**カップはありませんか。 動 ます ＋にくい
～づらい	～するのが難しくて困る Means awkward or difficult to ～, causing the speaker discomfort. 表示"～起来很难受、很困难"	個人的なことなので職場の人には頼み**づらい**。 ここは黒板の字が見**づらい**位置です。 動 ます ＋づらい
～すぎる ～すぎだ	適切な程度を超えて ～だ・～する Means to do too much, go too far in an action or process. 表示过度，"太～"、"～多了"	この靴はわたしには小さ**すぎる**。 おいしかったので、食べ**すぎて**しまった。 君、それは言い**すぎだ**よ。 動 ます・イ形 い・ナ形 ＋すぎる・すぎだ
～がちだ	～の状態になる傾向がある Means tends toward a state or situation. 表示"具有变成状态～的倾向"	雨のため工事は遅れ**がちだ**。 遠慮**がちに**由香さんに年齢を聞いてみた。 名・動 ます ＋がちだ
～らしい	～のイメージと同じだ Means conform with a preconceived image of, be typical of. 表示"具有～的典型性质"	今日は暖かくて春**らしい**一日だった。 いつもの元気なリーさん**らしく**ないですね。 名 ＋らしい
～っぽい	～のような要素・性質がある Have a certain nature or quality. 表示"略带有～的性质或特征"	彼女はわがままばかり言って、子ども**っぽい**人だ。 弟はあき**っぽくて**、何でも途中でやめてしまう。 名・動 ます ＋っぽい
～のようだ ～みたいだ	～によく似ている Be very similar to ～. 表示"和～很相似" →第1部 D-1	ここから見える景色は絵**のようだ**。 このパンはケーキ**みたいに**甘くて軟かい。 ガラス**みたいな**氷を靴で踏んで遊んだ。 名 ＋のようだ・みたいだ 名 ＋のような・みたいな＋名
～だらけだ	～（いやなもの）がたくさんある Be in abundance, full of, littered with (usually used pejoratively). 表示"光是～这些（讨人厌的东西）"	返ってきたテストは間違い**だらけだった**。 毎日サッカーをしていたら、傷**だらけ**になった。 名 ＋だらけだ

練習1 最も適当なものを選びなさい。

1 （　　　　　）ことでも、時にははっきり言わなければならないだろう。

   a 言いやすい　　　　　　b 言いづらい　　　　　　c 言いすぎる

2 この料理はちょっと（　　　　　）、あまりおいしくない。

   a 水らしくて　　　　　　b 水がちで　　　　　　c 水っぽくて

3 パソコンを（　　　　　）のは、目に悪いですよ。

   a 使いかける　　　　　　b 使い出す　　　　　　c 使いすぎる

4 この試合では実力を（　　　　　）ほしい。みんながんばれ。

   a 出しすぎて　　　　　　b 出しきって　　　　　　c 出しかけて

5 祖父は年を取って、最近（　　　　　）なった。今日もかぎの場所を忘れた。

   a 忘れかけに　　　　　　b 忘れにくく　　　　　　c 忘れっぽく

6 庭に植えた木が大きく（　　　　　）しまったので、少し切ることにした。

   a なりすぎて　　　　　　b なりやすくなって　　　　　　c なり通して

7 時間が短かったので、作文を最後まで（　　　　　）。

   a 書き出せなかった　　　　　　b 書ききれなかった　　　　　　c 書きかけられなかった

8 信号が青に変わって、車が（　　　　　）。

   a 走り出した　　　　　　b 走り通した　　　　　　c 走りきった

9 うそを一生（　　　　　）ことはできない。

   a 隠しかける　　　　　　b 隠しすぎる　　　　　　c 隠し通す

10 少し（　　　　　）きた数学が、授業を休んだせいでまたわからなくなった。

   a わかりかけて　　　　　　b わかりきって　　　　　　c わかり通して

練習2 　□□□から最も適当な言葉を選んで、必要なら形を変えて、（　　　　　）に書きなさい。

やすい　　　にくい　　　すぎだ　　　みたいだ　　　らしい　　　だらけだ　　　かけだ

1 雪道はすべり（　　　　　）から、気をつけて。

2 社長なら社長（　　　　　）行動してほしいです。今は大切な時期なんですから。

3 この仕事がまだやり（　　　　　）ので、終わったらそちらの仕事を手伝います。

4　このひもはすぐ切(き)れてしまいます。もっと切(き)れ(　　　　)のはありませんか。

5　この部屋(へや)は長(なが)い間掃除(あいだそうじ)をしていないので、ごみ(　　　　)。

6　犬(いぬ)が飼(か)い主(ぬし)を助(たす)けるというドラマ(　　　　)ことが実際(じっさい)に起(お)こった。

7　京都(きょうと)に行(い)ったら、記念(きねん)に何(なに)か京都(きょうと)(　　　　)物(もの)を買(か)いたいと思(おも)う。

8　今(いま)の時期(じき)は食(た)べ物(もの)が腐(くさ)り(　　　　)ので注意(ちゅうい)しましょう。

9　飲(の)み(　　　　)ですよ。今日(きょう)はもうやめたらどうですか。

10　この飲(の)み(　　　　)かんジュースはだれのだろう。

┏━━━━━━━━━━━┓ ワンポイントレッスン ┃「〜らしい」と「〜のようだ・〜みたいだ」

◎どちらが適当(てきとう)な方(ほう)を選(えら)びなさい。

1　もう大人(おとな)なんだから、そんな子(こ)ども (a らしい　　b みたいな) しゃべり方(かた)はやめろ。

2　子(こ)どもにはやはり子(こ)ども (a らしい　　b みたいな) 服(ふく)が似合(にあ)いますよね。

3　6月(がつ)に入(はい)ってからまだ雨(あめ) (a らしい　　b みたいな) 雨(あめ)は降(ふ)っていない。

4　あれ、雪(ゆき) (a らしい　　b みたいな) 雨(あめ)が降(ふ)ってきたよ。

5　まだ5月(がつ)なのに、今日(きょう)は夏(なつ) (a らしい　　b のような) 日(ひ)でしたね。

6　へえ、これが交番(こうばん)か。絵本(えほん)に出(で)てくるかわいい家(いえ) (a らしい　　b のようだ) ね。

7　箱根(はこね)は昔(むかし)からの観光地(かんこうち)だから、観光地(かんこうち) (a らしい　　b のような) お土産屋(みやげや)が多(おお)い。

・・・・・・・・・・・・・・・▼・・・・・・・・・・・・・・・

〜らしい：　実際(じっさい)に〜だ。〜のイメージと同(おな)じだ。

Means something is as it is supposed to be, as imagined.

表示实际具有〜的典型性质。

例・今日(きょう)は春(はる)らしい天気(てんき)だった。(今(いま)は本当(ほんとう)に春(はる)だ。)
　・町(まち)はお祭(まつ)りらしいにぎやかさだった。(実際(じっさい)にお祭(まつ)りだ。)

〜のようだ：実際(じっさい)に〜ではないが、〜によく似(に)ている。「〜みたいだ」は話(はな)し言葉(ことば)。

〜みたいだ　Means not actually 〜, but is very similar to 〜. 〜みたいだ is used in spoken language.

表示虽然不是〜，但和〜十分相似。「〜みたいだ」为口语体表达方式。

例・今日(きょう)は春(はる)のような天気(てんき)だった。(今(いま)は春(はる)ではない。)
　・町(まち)はお祭(まつ)りみたいなにぎやかさだった。(実際(じっさい)にはお祭(まつ)りではない。)

J　動詞(どうし)や名詞(めいし)の意味(いみ)を広(ひろ)げる文法形式(ぶんぽうけいしき)

つぎの文の（　　　）に入れるのに最もよいものを、1・2・3・4から一つえらびなさい。

1　この店には高い品物（　　　）並んでいる。

　　1　ぐらい　　　　　　　　　　　　2　なんか

　　3　しか　　　　　　　　　　　　　4　ばかり

2　机の上に本がたくさん重ねてあって、今にも（　　　）。

　　1　崩れているようだ　　　　　　　2　崩れそうだ

　　3　崩れてしまった　　　　　　　　4　崩れたら大変だ

3　この本は、いつも（　　　）、ぼろぼろになってしまった。新しいのを買おうかな。

　　1　持ち歩いていては　　　　　　　2　持ち歩いていれば

　　3　持ち歩いていたら　　　　　　　4　持ち歩いているなら

4　質問の答えをここに（　　　）場合は、紙の裏に続きを書いてください。

　　1　書きかける　　　　　　　　　　2　書き終わる

　　3　書ききれない　　　　　　　　　4　書き通せない

5　わたしはそのとき彼が言った言葉を決して（　　　）。

　　1　覚えていたい　　　　　　　　　2　忘れないだろう

　　3　思い出した　　　　　　　　　　4　忘れようと思う

6　A「将来はどんな仕事をしたいのですか。」

　　B「わたしは（　　　）日本に関係がある仕事をしたいと考えています。」

　　1　どうか　　　　　　　　　　　　2　まるで

　　3　おそらく　　　　　　　　　　　4　ぜひ

7 すみません。はんこをお願いします。書留ははんこをいただかないとお渡しできない（　　　）んです。

1　ことになっている　　　　　　　2　ようにしている

3　ことにする　　　　　　　　　　4　ようになる

8 林君は（　　　）スポーツもできて、クラスの女の子たちに人気がある。

1　頭がいいと　　　　　　　　　　2　頭もよければ

3　頭がよかったら　　　　　　　　4　頭もいいのなら

9 自分の話を（　　　）、ほかの人の話もよく聞くようにしたほうがいいよ。

1　するばかりでなく　　　　　　　2　したばかりでなく

3　するばかりで　　　　　　　　　4　しないばかりで

10 みんなと同じような服ではなくて、自分（　　　）服を着たい。

1　みたいな　　　　　　　　　　　2　のつもりの

3　らしい　　　　　　　　　　　　4　のような

11 この石けんを（　　　）、新しいのを出そう。

1　使いすぎてから　　　　　　　　2　使いきってから

3　使いすぎると　　　　　　　　　4　使いきると

12 A「あれ、山田さんは？　もう帰った？」
　　B「山田さんならたった今（　　　）だから、まだその辺にいると思いますよ。」

1　帰るばかり　　　　　　　　　　2　帰っているところ

3　帰ってばかり　　　　　　　　　4　帰ったところ

13 いつの間にか眠ってしまって、目が覚めると、外はもう（　　　）。

1　明るくした　　　　　　　　　　2　明るくなった

3　明るくしていた　　　　　　　　4　明るくなっていた

じつりょく よう せい へん
実力養成編

だい ぶ ぶん ぶんぽう
第2部　文の文法2

ある人が言ったこと、自分が思ったことの内容を一文の中に入れるには、次のような方法があります。

The following methods are used to include a statement by somebody else, or one's own impressions, in a sentence.

要在句中插入某人所说的话，或是自己思考的内容，有以下方法。

1　普通形＋と…「言う・思う・感じる」など

例・わたしは思います。＋「リンさんはきっと合格するでしょう」

→わたしはリンさんはきっと合格するだろうと思います。

2　[辞書形・ない形]＋ように（＋と）　⎫
　　[て形・ない形＋で]＋ほしい＋と　⎬…「頼む・注意する・言う」など
　　命令形・禁止形＋と　⎭

例・医者はカンさんに勧めた。＋「ときどき運動をしたほうがいいです」

→医者はカンさんにときどき運動をするように勧めた。

・わたしは先生に頼んだ。＋「もう一度説明してくださいませんか」

→わたしは先生にもう一度説明してほしいと頼んだ。

・母はわたしに言った。＋「お金を大切に使いなさいね」

→母はわたしにお金を大切に使えと言った。

3　普通形＋かどうか　⎫
　　疑問詞＋〜か　⎬…「聞く・わからない・調べる」など

例・わたしはカンさんに聞いた。＋「あした会えるでしょうか」

→わたしはカンさんにあした会えるかどうか（を）聞いた。

・わたしはわからない。＋「どうすれば日本語が上手になるでしょうか」

→わたしはどうすれば日本語が上手になるか（が）わからない。

4　どうして／なぜ〜かというと、…からだ。　→第3部 1課

例・「どうしてこの店は人気がありますか」＋安くておいしいからです。

→どうしてこの店が人気があるかというと、安くておいしいからです。

つぎの文の ___★___ に入る最もよいものを 1・2・3・4 の中から一つえらびなさい。

1 今度の旅行について___ ___ _★_ ___お返事をください。
　　1 計画で　　　　　2 このような　　3 どうか　　　　4 いいか

2 危ないから___ ___ _★_ ___子どもたちに注意した。
　　1 並んで　　　　2 横に　　　　　3 ように　　　　4 歩かない

3 どうすれば入りたい___ ___ _★_ ___聞いてみたい。
　　1 会社に　　　　2 先輩に　　　　3 入れる　　　　4 か

4 今年こそ___ ___ _★_ ___と思う。
　　1 行きたかった　2 行こう　　　　3 ヨーロッパに　4 前から

5 リンさんは、自分がアルバイトで___ ___ _★_ ___と言った。
　　1 食べに　　　　2 働いている　　3 来てほしい　　4 店に

6 先生に授業中は___ ___ _★_ ___どうしても寝てしまう。
　　1 と　　　　　　2 言われても　　3 寝るな　　　　4 つまらないと

7 山田さんに___ ___ _★_ ___と聞かれた。
　　1 ほしいの　　　2 どれか　　　　3 いちばん　　　4 は

8 どうして___ ___ _★_ ___やり方を間違えていたからだ。
　　1 というと　　　2 ように　　　　3 言われたか　　4 やり直す

9 店長に___ ___ _★_ ___と言われた。
　　1 言え　　　　　2 そう　　　　　3 休みたい　　　4 なら

10 いつごろからこの言葉が___ ___ _★_ ___調べてみた。
　　1 なった　　　　2 使われる　　　3 か　　　　　　4 ように

2課 文の組み立て-2 名詞の説明

名詞を説明する形式はいろいろありますが、説明する言葉は必ず名詞の前に来ます。

There are several ways of modifying nouns, but the modifier must come before the noun.

可用来对某个名词进行解释的表达方式多种多样，但从句法位置而言，它们都位于要解释的名词之前。

1 [普通形（ナ形だ-な・名だ-の）] ＋名

例・そのバスは東京駅に行く→東京駅に行く バス
・そのバスに乗ると子どもが喜ぶ→子どもが喜ぶ バス
・そのニュースを聞いてショックを受けた→ショックを受けた ニュース
・にぎやかな声で子どもたちが話している→子どもたちが話しているにぎやかな 声

2 [助詞] ＋の ＋名

例・そのバスは駅まで行く→駅までの バス
・母から手紙が来た→母からの 手紙
・友だちにプレゼントをあげる→友だちへの プレゼント

3 [助詞のような働きをする言葉] ＋の ＋名 →第1部B

例・そのバスを通学手段として使う→通学手段としての バス
・生命について本を書いた→生命についての 本

4 [助詞のような働きをする言葉の名詞につく形] ＋名 →第1部B

例・そのバスは市の運営によって走っている→市の運営による バス
・A案に対して反対意見を言う→A案に対する 反対意見

5 [状態や様子を表す言葉（ばかり・とおり・まま・はずなど）] ＋の ＋名

例・そのバスは修理したばかりだ→修理したばかりの バス
・その景色はガイドブックで見たとおりだった→ガイドブックで見たとおりの 景色
・この服は汚れたままだ→汚れたままの 服

つぎの文の＿＿＿＿　★　に入る最もよいものを１・２・３・４の中から一つえらびなさい。

1　海岸を歩いていたら、どこからか＿＿＿＿　＿＿＿＿　★　＿＿＿＿きた。
　　１　魚が　　　　　　２　いい匂いが　　　３　焼ける　　　　４　して

2　読む＿＿＿＿　＿＿＿＿　★　＿＿＿＿多くはない。
　　１　本は　　　　　　２　感動する　　　　３　たびに　　　　４　あまり

3　ここに＿＿＿＿　＿＿＿＿　★　＿＿＿＿紹介されている。
　　１　若い　　　　　　２　作品が　　　　　３　よる　　　　　４　デザイナーたちに

4　きのう＿＿＿＿　＿＿＿＿　★　＿＿＿＿目が見えないみたいだ。
　　１　子ねこは　　　　２　生まれた　　　　３　まだ　　　　　４　ばかりの

5　わたしは＿＿＿＿　＿＿＿＿　★　＿＿＿＿残念だ。
　　１　あの人と　　　　２　約束を　　　　　３　守れなくて　　４　の

6　山田先生に＿＿＿＿　＿＿＿＿　★　＿＿＿＿変わりません。
　　１　今も　　　　　　２　気持ちは　　　　３　感謝の　　　　４　対する

7　2回目の＿＿＿＿　＿＿＿＿　★　＿＿＿＿出た。
　　１　結果が　　　　　２　実験では　　　　３　思った　　　　４　とおりの

8　どこで＿＿＿＿　＿＿＿＿　★　＿＿＿＿話が面白かった。
　　１　について　　　　２　知り合ったか　　３　二人が　　　　４　の

9　この町には、＿＿＿＿　＿＿＿＿　★　＿＿＿＿通りがある。
　　１　家々が　　　　　２　ままの　　　　　３　昔の　　　　　４　残っている

10　今日の午前中に＿＿＿＿　＿＿＿＿　★　＿＿＿＿まだ着いていない。
　　１　荷物が　　　　　２　はずの　　　　　３　友だちから　　４　届く

3課 文の組み立て-3 「～という・～といった」

「～という…・～といった…」の「～」は「…(名詞)」の名前・内容・例などを示します。はっきり言うのを避けるときは「という・といった」の後に「ような」をつけます。

In ～という … and ～といった … clauses, the ~ is a name, description or example (relating to a noun …). To avoid being precise, affix ような after という or といった.

可以使用「～という…・～といった…」的形式来表示「～」是「…(名詞)」的名字名称、内容或是其中一个或几个例子。如想进行委婉的表达，可以在「という・といった」后面接「ような」。

[1] 名前を紹介する (～という…)　　Used to give someone or something a name.／用于介绍名称或名字

例・わたしは松下という者です。

・これはなでしこという花です。

・これ、珍しいですね。何という果物ですか。

[2] 内容を示す (～という…)　　Used to convey the purport of a remark, or something heard, etc.／用于表示内容

例・鈴木さんが会社を辞めるといううわさを聞いた。

・「ワンワン」という犬の鳴き声が聞こえます。

・「三日坊主」はすぐにあきてしまうというような意味だと思います。

[3] 知識・事実などを示す (～ということ)

Used to introduce a statement, or facts about something one has heard or learned.／用于解释某条知识或介绍某个事实

例・かぜの予防には手洗いがいいということを知っていましたか。

・まき子さんのお母さんは有名な女優だということを初めて聞いた。

・いい教育を受けるのにたくさんのお金が必要だということは問題だと思う。

・兄はこの前会ったとき、今月は忙しいというようなことを言っていた。

[4] よく知らない言葉を示す (～というの)　　　　　　　　　　　　　　　→第1部C

Used to refer to things that the speaker is not very familiar with.／用于导入某个不熟悉的概念

例・コンピューター用語で、アップデートというのは何ですか。

[5] いくつかの例を示す (～といった…)　　Used to introduce a list of examples.／用于表示列举

例・わたしは数学、物理、化学といった理科系の科目が好きだ。

・彼女は黒とか灰色といったような暗い色の服が似合う。

つぎの文の ____★____ に入る最もよいものを１・２・３・４の中から一つえらびなさい。

1 何_____ _____ ____★____ _____から、だれかに聞いてみよう。

   1　植物　　　　　　2　という　　　　　3　わからない　　　4　か

2 何でも_____ _____ ____★____ _____考えにはわたしは賛成できない。

   1　いい　　　　　　2　ような　　　　　3　という　　　　　4　いちばんが

3 調べた結果、これは昔、子どもの_____ _____ ____★____ _____ことがわかった。

   1　おもちゃだ　　　2　作られた　　　　3　ために　　　　　4　という

4 洗濯、掃除、料理_____ _____ ____★____ _____みんなでするべきだ。

   1　家族　　　　　　2　家庭内の　　　　3　仕事は　　　　　4　といった

5 「ださい」という_____ _____ ____★____ _____意味の言葉だ。

   1　かっこ悪い　　　2　という　　　　　3　のは　　　　　　4　ような

6 田中さんがいない_____ _____ ____★____ _____が見えましたよ。

   1　リーさん　　　　2　女性　　　　　　3　という　　　　　4　間に

7 自分にとって_____ _____ ____★____ _____ことをもう一度考えたい。

   1　何か　　　　　　2　ものは　　　　　3　という　　　　　4　大切な

8 「雨模様」_____ _____ ____★____ _____ことだ。

   1　様子の　　　　　2　のは　　　　　　3　という　　　　　4　雨が降りそうな

9 もう年末だが、もうすぐ_____ _____ ____★____ _____あまりしない。

   1　感じが　　　　　2　正月が　　　　　3　来る　　　　　　4　という

10 ゆっくり温泉に入って、また_____ _____ ____★____ _____なった。

   1　という　　　　　2　がんばろう　　　3　気持ちに　　　　4　あしたから

組み合わせが決まっている文法形式があります。決まった形として覚えましょう。

Some grammatical forms have fixed patterns. Try to memorize these forms.

也有一些语法形式属于固定用法，需要作为一个整体来记忆。

1　〜から…にかけて　⇒〜から…の間

Means a "period of time from 〜 to …," or "between 〜 and …"／表示"从〜到…"。

・年末から年始にかけてわたしはとても忙しい。
・明日は関東地方から東北地方にかけて雨が降るでしょう。

2　〜を…として・〜を…に　⇒〜を…と考えて（認めて）

Used to mean "regard (accept) 〜 as …"／表示"把〜作为…"、"把〜看作…"。

・入院をきっかけとしてわたしは健康に注意するようになった。
・日本の世界地図は日本を中心にかかれている。
・この小説家は家族をテーマとした小説をたくさん書いている。

3　〜はもちろん…も　⇒〜は当然だが、…も同じように

Means "both 〜 and … (〜 is a matter of course, and … is likewise)."／表示"〜自不必说，…也是一样"。

・このゲームは子どもはもちろん大人も楽しめる。
・夫は国内の山々はもちろん外国の山にもあちこち登っている。

4　(〜ば) 〜ほど…・(〜なら) 〜ほど…　→第1部 2課-4
・考えれば考えるほどわからなくなってきた。

5　〜くらい…はない・〜ぐらい…はない・〜ほど…はない　→第1部 3課-2
・今まで見た中で、これほど面白い映画はない。

6　〜さえ〜ば…・〜さえ〜なら…　→第1部 6課-3、第1部 A
・自分さえよければ満足なのですか。

7　〜ことは〜が、…　→第1部 8課-5
・その本は読んだことは読んだが、内容は忘れた。

8　〜も…ば〜も…・〜も…なら〜も…　→第1部 H-3
・世の中にはいい人もいれば悪い人もいる。

つぎの文の＿＿★＿＿に入る最もよいものを１・２・３・４の中から一つえらびなさい。

1 この店は夕方＿＿＿＿ ＿＿＿＿ ＿★＿ ＿＿＿＿の客が多い。

　　1 夜　　　　　　　2 会社帰り　　　　3 にかけて　　　4 から

2 京都には、＿＿＿＿ ＿＿＿＿ ＿★＿ ＿＿＿＿観光客が訪れる。

　　1 週末は　　　　　2 多くの　　　　　3 もちろん　　　4 平日にも

3 わたしはこの＿＿＿＿ ＿＿＿＿ ＿★＿ ＿＿＿＿初めからがんばるつもりです。

　　1 出発点　　　　　2 失敗を　　　　　3 もう一度　　　4 として

4 野球はするのも＿＿＿＿ ＿＿＿＿ ＿★＿ ＿＿＿＿ですね。

　　1 スポーツ　　　　2 楽しい　　　　　3 楽しければ　　4 見るのも

5 ここから＿＿＿＿ ＿＿＿＿ ＿★＿ ＿＿＿＿姿を見たことがない。

　　1 富士山　　　　　2 きれいな　　　　3 見える　　　　4 ほど

6 絵を＿＿＿＿ ＿＿＿＿ ＿★＿ ＿＿＿＿いれば、どこでも何時間でも楽しめる。

　　1 さえ　　　　　　2 紙とペン　　　　3 持って　　　　4 かくことは

7 無理に＿＿＿＿ ＿＿＿＿ ＿★＿ ＿＿＿＿なってしまう。

　　1 眠れなく　　　　2 眠ろうと　　　　3 するほど　　　4 すれば

8 週３回以上＿＿＿＿ ＿＿＿＿ ＿★＿ ＿＿＿＿アルバイトの人を募集した。

　　1 条件　　　　　　2 働ける　　　　　3 ことを　　　　4 として

9 この会は＿＿＿＿ ＿＿＿＿ ＿★＿ ＿＿＿＿活動をしている。

　　1 中心に　　　　　2 木村さんを　　　3 会長の　　　　4 いろいろな

10 携帯電話は＿＿＿＿ ＿＿＿＿ ＿★＿ ＿＿＿＿が、じゃまになることも多い。

　　1 便利な　　　　　2 便利だ　　　　　3 ことは　　　　4 あれば

つぎの文の＿★＿に入る最もよいものを、1・2・3・4から一つえらびなさい。

1　初めて会った＿＿＿＿　＿＿＿＿　＿★＿　＿＿＿＿美しい人だった。

　　1　とおりの　　　　2　聞いていた　　　3　母から　　　　4　その人は

2　林さんの＿＿＿＿　＿＿＿＿　＿★＿　＿＿＿＿はとても役に立った。

　　1　経験者　　　　　2　意見　　　　　　3　の　　　　　　4　として

3　A「先週送ったメール、返事をもらっていないけど、読んでくれましたか。」
　　B「実は先週から＿＿＿＿　＿＿＿＿　＿★＿　＿＿＿＿時間がなかったんです。ごめんなさい。」

　　1　返信する　　　　2　今週に　　　　　3　とても忙しくて　　4　かけて

4　今回は＿＿＿＿　＿＿＿＿　＿★＿　＿＿＿＿書くつもりだ。

　　1　テーマと　　　　2　人口問題を　　　3　レポートを　　　4　した

5　この町に＿＿＿＿　＿＿＿＿　＿★＿　＿＿＿＿不満が大きくなっている。

　　1　住民からの　　　2　に対する　　　　3　工場を作る　　　4　こと

6　わたしには＿＿＿＿　＿＿＿＿　＿★＿　＿＿＿＿悩みがある。

　　1　上手に　　　　　2　という　　　　　3　人の前で　　　　4　話せない

7　わたしは今日＿＿＿＿　＿＿＿＿　＿★＿　＿＿＿＿したことはない。

　　1　楽しい　　　　　2　経験を　　　　　3　ほど　　　　　　4　これまで

8　これらの写真の中には、価値の＿＿＿＿　＿＿＿＿　＿★＿　＿＿＿＿ものもある。

　　1　つまらない　　　2　ある　　　　　　3　あれば　　　　　4　ものも

9　A「どうしたの？　さっきから何を探しているの？」
　　B「朝、かばんに入れた＿＿＿＿　＿＿＿＿　＿★＿　＿＿＿＿ないんだ。」

　　1　財布　　　　　　2　はず　　　　　　3　が　　　　　　　4　の

10 どこからか＿＿＿＿ ＿＿＿＿ ★ ＿＿＿＿ようですが……。

1 声が　　　　　　2 赤ちゃんが　　　3 する　　　　　4 泣いている

11 先生に、＿＿＿＿ ＿＿＿＿ ★ ＿＿＿＿言われた。

1 わからない　　　2 ように　　　　　3 質問する　　　4 ときは

12 A「今度うちでパーティーをするんですが、簡単な料理を教えてくれませんか。」

B「この料理はどうですか。ここに＿＿＿＿ ＿＿＿＿ ★ ＿＿＿＿だれでもすぐに作れる

はずですよ。」

1 あれば　　　　　2 書いてある　　　3 さえ　　　　　4 材料

13 ごみが増え続けている＿＿＿＿ ＿＿＿＿ ★ ＿＿＿＿考えていかなければならない。

1 問題　　　　　　2 ことを　　　　　3 として　　　　4 自分たちの

14 わたしはハンバーガーや焼き肉と＿＿＿＿ ＿＿＿＿ ★ ＿＿＿＿好きだ。

1 カロリーが　　　2 食べ物が　　　　3 いった　　　　4 高い

15 なぜわたしが係を＿＿＿＿ ＿＿＿＿ ★ ＿＿＿＿ほかにいなかったからだ。

1 いうと　　　　　2 やることに　　　3 やりたい人が　4 なったかと

16 【電話で】

兄「お母さん、何と言っていた？」

妹「お正月に家に＿＿＿＿ ＿＿＿＿ ★ ＿＿＿＿ほしいって。」

1 くるか　　　　　2 知らせて　　　　3 帰って　　　　4 どうか

17 親にとって＿＿＿＿ ＿＿＿＿ ★ ＿＿＿＿ことはない。

1 病気　　　　　　2 心配な　　　　　3 子どもの　　　4 ぐらい

18 できるだけ規則正しい生活を＿＿＿＿ ＿＿＿＿ ★ ＿＿＿＿と思う。

1 ように　　　　　　　　　　　　　2 したほうがいい

3 する　　　　　　　　　　　　　　4 だろう

実力養成編
じつりょくようせいへん

第3部　文章の文法
だい　ぶ　　ぶんしょう　　ぶんぽう

文章にはまとまりが必要です。その基本は、一つ一つの文で始めと終わりが正しく対応していることです。

Paragraphs and statements need to be cohesive. The basic means to achieve this is to ensure that beginning and final grammatical patterns correspond for each sentence.

一个段落中前后句之间要存在意义上的关联，构成段落的各个句子也要前后呼应。

[ポイント1] 始めと終わりの対応にはいくつかの型があります。

There are a number of patterns for ensuring the beginning and end of a sentence correspond.／句子的前后呼应存在多种类型。

例1　〜には　＋…がいる・…がある・…が多い

例・世界にはいろいろな文化を持った国がある。

・この計画には問題点が多い。

例2　〜には・〜のに（は）　＋…が必要だ・…が便利だ・…なければならない・…がかかる

→第1部C

例・この仕事をするには車の運転ができなければならない。

・外国へ行くのにはパスポートが必要だ。

例3　〜のは　＋…だ・…からだ・…ためだ

→第1部C

例・わたしが祖母について思い出せるのは、優しい笑顔だけだ。

・昨夜家に帰れなかったのは、急ぎの仕事が終わらなかったからです。

例4　どうして／なぜ〜かというと　＋…からだ

→第2部 1課-4

例・どうしてこの植物にあまり水をやらないかというと、その方がきれいな花が咲くからです。

・なぜこの仕事を選んだかというと、子どものときから動物が好きだったからだ。

[ポイント2] 長い文では助詞と、それに対応する動詞が離れていることがあります。受身文や使役文などでは助詞と動詞の対応を間違えると、言いたいことが正しく伝えられないことがあるので特に注意しましょう。

→第3部 5課

In longer sentences, the particle and the verb that goes with it can be far apart. Pay particular attention to passive and causative sentences, ensuring the correct correspondence between particle and verb to correctly put across your meaning.

如果句子很长，一个助词有可能距离与它搭配使用的动词很远，助词或动词形式使用不当有可能影响意义的正确表达，被动句和使役句中助词或动词形式出错甚至会让人要格外引起注意。

例
・あしたリーさん<u>に</u>、だれか中国料理を<u>教えてくれる人</u>を<u>紹介してもらおう</u>。

・<u>母親</u>は子どもたち<u>に</u>、自分の<u>部屋</u>を毎週1回きれいに<u>片付けさせた</u>。

・わたしは<u>先生に</u>、その<u>文</u>をすらすら<u>読める</u>ようになるまで何度も<u>読まされた</u>。

練習　どちらか適当な方を選びなさい。

1　今、困っているのは、
　　a　お金のことだ。
　　b　お金が足りない。

2　初めて飛行機に乗ったのは、20年前に
　　a　両親とアメリカへ行った。
　　b　両親とアメリカへ行ったときだ。

3　今朝早く
　　a　起きられなくて、
　　b　起きられなかったのは、
　　昨夜お酒を飲みすぎたからだ。

4　どうしてこの計画が中止になったかというと、
　　a　予算が足りません。
　　b　予算が足りないからです。

5　この地方には昔から続いている
　　a　伝統的な行事がある。
　　b　伝統的な行事を見ることができる。

6　山の頂上まで行くには、ここからさらに2時間ぐらい
　　a　登っていこう。
　　b　登らなければならない。

7　つよしはじょうだんを言っていつもみんなを
　　a　笑わせるから、クラスの人気者だ。
　　b　笑われるのは、なんだかかわいそうだ。

8　林さんはピアノが好きで、子どもにも小さいときからずっと
　　a　習っていた。
　　b　習わせていた。

9　この学校ではバイクで通学することを
　　a　10年も前から校則で禁止している。
　　b　生徒会で話し合った結果、禁止された。

10　わたしは母に、寒い朝でも向こうの角の所までごみを出しに
　　a　行かされる。
　　b　行くことになる。

2課 時制・〜ている

まとまりのある文章にするためには、できごとの時間的前後関係に注意して文を続けなければなりません。また、ある時点で起こったことか、続いている状態かを確かめて、「〜ている」を正しく使うことが大切です。

To make a cohesive statement, you have to pay attention to the timing of actions and events of preceding and following sentences. In addition, it is important to correctly use the 〜ている form for things that happened at a certain point in time, or are ongoing.

在篇章中，要特别注意根据前后句所表示事项发生的前后顺序选用正确的时态表达方式。此外，还要根据某一时刻事项是否已经发生、状态是否持续等体态意义来正确使用「〜ている」。

【ポイント1】 時間を表す言葉と動詞の形とを合わせます。

Words that express time and verb forms must agree.

使用时间副词时，主句谓语动词的时态要与时间副词所表示的时态一致。

- 間もなく／もうすぐ／やがて／来年など ＋この子は5歳になる。(現在形)
- 今／現在など ＋雪が降っている。(〜ている)
- 去年／先週／4月1日になど ＋わたしは日本に来た。(過去形)

【ポイント2】 「〜ている」の使い方

意味	例文
進行中の動作　Actions in progress.／表示动作正在进行	わたしはそのとき旅行の準備をしていた。
習慣　custom／表示习惯	弟は毎日サッカーの練習に行っている。
結果が残っている状態 State resulting from an action continues. 表示动作已经完成，其结果保留	駅のホームに財布が落ちていた。 町田さんはめがねをかけている。
形・様子　Form and appearance.／表示性状	この道は海に続いている。 弟とぼくはあまり似ていない。
完了・未完了 Expresses completion or incompleteness. 表示完结或未完结	10年後、彼女も母親になっているだろうか。 9時に会場に着いた。もうみんな来ていた。 この子はまだ5歳になっていません。

【ポイント3】 「〜とき」の前の動詞や、名詞を説明する文の動詞の時制は、文全体の最後の動詞の出来事より先に起こることか、後に起こることかを考えて決めます。

The tense of the verb coming before とき, and of the verb that modifies the noun, depends on whether the actions happen before the event described by the verb at the end of the sentence or after.

以「～とき」结句的小句以及修饰其后的主名词、对其进行解释的小句的谓语动词要根据它们与主句动词所表示动作的发生时间的先后关系，来选择使用过去式或非过去式。

・ご飯を食べたとき、「ごちそうさま」と言います。(食べる→言う)
・ご飯を食べるとき、「いただきます」と言います。(言う→食べる)

・いつもいちばん早く来た人がエアコンをつけます。(来る→つける)
・新幹線の中で飲むお茶を駅の売店で買った。(買う→飲む)

練習1 どちらか適当な方を選びなさい。

1 机の上に置いておいたぼくの大事な本はどこに (a 行く b 行った) のだろう。

2 来月、わたしがこの5年間で (a 作る b 作った) 作品の展覧会が開かれます。

3 駅まで遠いですから、歩いていくのでは (a 疲れますよ b 疲れていますよ)。

4 きのうわたしは12時過ぎまで (a 起きた b 起きていた)。

5 まだ昼ご飯を (a 食べない b 食べていない) のなら、いっしょにどうですか。

6 うちに (a 来る b 来た) ときは、連絡してください。駅まで迎えに行きます。

7 彼が港に (① a 着いた b 着いている) ときには、船はもう (② a 出た b 出ていた)。

8 あした、林さんに (① a 会う b 会った) ときに、この本を (② a 返そう b 返した)。

練習2 ( ) の中の動詞を適当な形にして、書きなさい。

子どものころ、わたしのうちにはいろいろな動物が (① いる→　　　　　　　　)。犬はもちろん、うさぎ、鳥、にわとりなど、みんな母がどこからか (② もらってくる→　　　　　　　　) 動物だった。母は動物の世話にとても興味を (③ 持つ→　　　　　　　　) が、これらの動物にえさを (④ やる→　　　　　　　　) のはわたしの仕事だった。わたしは母が入れ物に (⑤ 入れる→　　　　　　　　) えさを自分の手で動物たちに与えた。当時わたしはまだ小学生に (⑥ なる→　　　　　　　　) が、母の影響でいつの間にか大の動物好きになっていた。だから、動物園に (⑦ 就職できる→　　　　　　　　) ときは、本当にうれしかった。

1. つぎの文章を読んで、文章全体の内容を考えて、 1 から 5 の中に入る最もよいものを1・2・3・4から一つえらびなさい。

わたしは言葉の勉強が好きです。今までにいくつかの外国語を勉強したことがあります。日本語は国にいるとき1年ぐらい勉強しましたが、日本に来てからも続けています。今、毎週火曜日と木曜日の夜、市民センターに行って、田中さんから日本語を教わっています。レッスンのときに 1-a ことは前の日に予習し、 1-b ことは必ず復習しています。

外国語を勉強しようとする人にアドバイスすることが三つあります。まずするべきことは、いい先生を 2 。何回かレッスンを受ければ、自分の勉強スタイルに合う先生かどうかわかります。どういう教え方をしてほしいか先生に伝えてもいいと思います。また、勉強が難しくなると、なかなか次に進めなくなります。しかし、同じところばかりずっと 3 、だんだんあきてきます。そういうときは全部 4 、少しずつ先に進んだほうがいいです。そして、三つ目は、習ったことをどれぐらい覚えているかということより、どれだけ 5 ということの方が大切だということです。勉強したことを実際にどんどん使ってみることが大事です。

---

1 1 a 勉強する／b 勉強した　　　　2 a 勉強した／b 勉強する

　3 a 勉強している／b 勉強した　　4 a 勉強していた／b 勉強する

2 1 探します　　　　　　　　　　　2 探すことです

　3 探しています　　　　　　　　　4 探していることです

3 1 やっていると　　　　　　　　　2 やっていたので

　3 やってみると　　　　　　　　　4 やってみたので

4 1 覚えられないと　　　　　　　　2 覚えられなくても

　3 覚えられたら　　　　　　　　　4 覚えられたので

5 1 使ってみる　　　　　　　　　　2 使ってみるの

　3 使っている　　　　　　　　　　4 使っているか

2. つぎの文章を読んで、文章全体の内容を考えて、　1　から　5　の中に入る最もよいものを1・2・3・4から一つえらびなさい。

先日、公園で、ありが忙しそうに働いているのを見た。白い小さなものを　1　。行列の先を見ると、地面に小さな穴が開いていた。ありの巣だ。穴の周りには、穴を掘ったときに出た土が盛られていた。この土の山があるので、雨が降っても周りから雨水が入りにくくなっているようだ。穴の中は　2　。自分で中を見ることはできないので、家に帰ってインターネットで調べてみた。

ある専門家のページによると、ありの巣は、初めは女王ありがたった1匹で　3　。最初は一部屋だけで、女王はそこで卵を産んで　4　。卵は1か月ぐらいで働きありに成長し、この働きありが巣を大きくしていくらしい。卵を置いておく部屋、えさを置いておく部屋、子ども部屋など、人間の家よりも　5　。女王ありの部屋はいちばん奥で、女王はここで出産と子育てに集中するのだそうだ。

1　1　運んだ　　　　　　　　　　　2　運んでいた
　　3　運ばれた　　　　　　　　　　4　運ばれていた
2　1　どうなるのだろう　　　　　　2　どうしたのだろう
　　3　どうなっているのだろう　　　4　どうしていたのだろう
3　1　作るそうだ　　　　　　　　　2　作ったそうだ
　　3　作られるそうだ　　　　　　　4　作られたそうだ
4　1　育てる　　　　　　　　　　　2　育てた
　　3　育てられる　　　　　　　　　4　育てられた
5　1　よく働く　　　　　　　　　　2　子どもが多い
　　3　簡単に作った　　　　　　　　4　部屋が多い

3課　話者が見る位置を動かさない手段-1　他動詞・自動詞

まとまりのある文章にするためには、話者が見る位置を動かさないで文を続けなければなりません。他動詞・自動詞は、何に注目するかによって使い分けます。

To form a cohesive sentence, the standpoint of the speaker must remain consistent in each sentence. Depending on where the focus is, a transitive or intransitive verb is used.

要保证篇章中前后句之间的连贯性，必须保证前后句视点一致。他动词与自动词具有不同的观点，需要区分使用。

ポイント 他動詞・自動詞の使い分け

他動詞の文	自動詞の文
変化を起こす動作に注目して言う Focus is on an action causing a change. 视点在伴随某种变化的动作 ヤンさんはタクシーを**止めた**。 わたしはろうそくの火を**消した**。 わたしはドアを**開けた**。	**変化を起こす動作の結果に注目して言う** (注1) Focus is on the result of an action causing a change. (Note 1) 视点在动作伴随产生的结果（注1） タクシーが**止まった**。 ろうそくの火が**消えた**。 ドアが**開いた**。
（対応する他動詞がない場合が多い） (Often there is no corresponding transitive verb). 多数情况下，没有与之对应的他动词	**自然に起こることを表す** Indicates a state that occurs naturally.／表示事项自然而然地发生 雪が**降った**。 庭にきれいなばらの花が**咲いた**。 今夜は月が明るく**輝いている**。
人や物への働きかけがある動作を表す Refers to an action that has some impelling effect on other people or things. 表示某个存在作用对象（东西或人）的动作 先生が子どもを**しかった**。 わたしはリーさんに仕事を**頼んだ**。	（対応する自動詞はない） (注2) (There is no corresponding intransitive verb). (Note 2) （没有与之对应的自动词）（注2）
（対応する他動詞はない） (注3) (There is no corresponding transitive verb.) (Note 3) （没有与之对应的他动词）（注3）	**人や物への働きかけがない動作を表す** Refers to an action that does not have any impelling effect on other people or things. 表示某个不存在作用对象的动作 子どもたちはいすに**座った**。 飛行機が空を**飛んでいる**。

注1：受身文でも表すことができる。　　　　　　　　　　　　　　　　　→第3部　5課

Note 1: The passive can also be used in such cases.／注1：表示动作伴随产生的结果时，也可以使用被动句。

　　例・タクシーが**止められた**。

注2：受身文で表すことができる。　　　　　　　　　　　　　　　→第3部 5課

Note 2: The passive can be used in such cases.

注2：表示动作受到动作作用后的结果，可以使用被动句。

例・子どもは先生にしかられた。

注3：使役文で表すことができる。　　　　　　　　　　　　　　　→第3部 5課

Note 3: The causative can be used in such cases.

注3：表示对动作对象施加作用的动作，可以使用使役句。

例・先生は子どもたちをいすに座らせた。

練習 （　　　）の中から動詞を選び、適当な形にして、＿＿＿の上に書きなさい。

1　読み終わった本は、棚に①＿＿＿＿＿＿＿てください。部屋を出るときは、電気が
②＿＿＿＿＿＿＿ているかどうか確認してください。　　　（戻る・戻す、消える・消す）

2　登山靴には、丈夫で簡単には①＿＿＿＿＿＿＿ひもを使っています。ひもはお客様の注
文に合わせてちょうどいい長さに②＿＿＿＿＿＿＿こともできますので、まず、はいて
みてください。　　　　　　　　　　　　　　　　　　　　　　　（切れる・切る）

3　家に帰ってびっくりした。窓が①＿＿＿＿＿＿＿ていた。だれが②＿＿＿＿＿＿＿んだ
ろうと思った。そうだった。わたしが、家を③＿＿＿＿＿＿＿とき、④＿＿＿＿＿＿＿
のを忘れたのだ。　　　　　　　　（開く・開ける、出る・出す、閉まる・閉める）

4　わたしは1990年にある小さい島で①＿＿＿＿＿＿＿。病院も店もなく知り合いもいな
い島で子どもを②＿＿＿＿＿＿＿ことができるだろうかと、母はわたしを③＿＿＿＿＿＿＿
＿＿後、悩んだそうだ。でも、わたしは元気に④＿＿＿＿＿＿＿て、母を安心させた。
　　　　　　　　　　　　　　　　　　　　　　　　（生まれる・産む、育つ・育てる）

5　今朝は遅刻してしまった。きのう、遅くまで①＿＿＿＿＿＿＿ていたし、目覚まし時計
がいつの間にか②＿＿＿＿＿＿＿ていたのだ。電池はちゃんと③＿＿＿＿＿＿＿ておい
たはずなのに……。あしたは試験だから、母に7時に④＿＿＿＿＿＿＿てほしいと頼ん
でおこう。　　　　　　　　　　（起きる・起こす、止まる・止める、入る・入れる）

「〜てくる・〜ていく」を使えば、話者が見る位置・時点がはっきりします。

Use of 〜てくる and 〜ていく forms to specify the position of the speaker and the time at which a statement is made.

借助「〜てくる・〜ていく」，可以明确说话人所在的位置及发话时间。

犬が向こうから走ってくる。

このごろ暖かくなってきた。

犬が向こうへ走っていく。

これからはもっと暖かくなっていく。

┃ポイント┃「〜てくる・〜ていく」の整理

意味	例文	注意点
ある動作の後の移動 A movement or shift occurring after an action. 表示移动发生在主动词所表示的动作之后	出かけるとき、天気予報を見**てきました**。 荷物はここに預け**ていこう**。	
	「〜てくる」だけ コンビニでジュースを買っ**てきます**。 ちょっと外でたばこを吸っ**てきます**。	**出発点に戻る** Refers to an action in which the speaker moves away and then comes back. 表示先离开、再返回
	「〜ていく」だけ 空港へ行く途中でお金をおろし**ていこう**。 途中の郵便局で書留を出し**ていった**。	**出発点に戻らない** Refers to an action in which the speaker moves away and does not come back. 表示离开后不再返回
移動の方向 Expresses direction of movement. 表示移动的方向	川上から帽子が流れ**てきた**。 エレベーターが1階から上がっ**てくる**。 飛行機が南の方へ飛ん**でいった**。 エレベーターが上の階へ上がっ**ていく**。	**移動の動詞につく** Affixed to verb of motion. 它要接在表移动义的动词后面
話者へのものごとの接近・到達 Means the speaker is the person affected by an action or event coming from elsewhere. 表示说话人是某个事项的接受方	**「〜てくる」だけ** 友だちから電話がかかっ**てきた**。 どこからか鐘の音が聞こえ**てきた**。 新しい心配ごとが出**てきた**。	

| 変化_{へんか}や状態_{じょうたい}の持続_{じぞく}

Indicates the continuation of a process of change or of a state.

表示出现某种变化或某种状态一直持续 | この地方_{ちほう}も交通_{こうつう}がだんだん便利_{べんり}になって**きた**。これからは観光客_{かんこうきゃく}が多_{おお}くなって**いく**と思_{おも}う。
この村_{むら}の人_{ひと}たちは昔_{むかし}からずっと村_{むら}の伝統_{でんとう}を守_{まも}って**きた**。今後_{こんご}も守_{まも}って**いく**だろう。 | 変化_{へんか}を表_{あらわ}す動詞_{どうし}・継_{けい}続_{ぞく}を表_{あらわ}す動詞_{どうし}を使_{つか}う

A verb expressing change or continuation is used.

它前面接的动词是表示变化的动词或持续动词。 |

変化や状態の持続	この地方も交通がだんだん便利になって**きた**。これからは観光客が多くなって**いく**と思う。	変化を表す動詞・継
Indicates the continuation of a process of change or of a state.	この村の人たちは昔からずっと村の伝統を守って**きた**。今後も守って**いく**だろう。	続を表す動詞を使う
表示出现某种变化或某种状态一直持续		A verb expressing change or continuation is used. 它前面接的动词是表示变化的动词或持续动词。

練習 「くる・いく」を適当な形にして、＿＿＿の上に書きなさい。

1　最近だんだん会社での責任が重くなって①＿＿＿＿＿。これからはさらに忙しくなるだろう。でも、この仕事をずっと続けて②＿＿＿＿＿よかったと思う。

2　今夜、わたしの家で忘年会をします。わたしはケーキを作ります。みきさんは珍しい料理を持って①＿＿＿＿＿くれるらしいです。山本君は途中でスーパーに寄って、飲み物を買って②＿＿＿＿＿ことになっています。10年前から毎年同じメンバーで忘年会をして③＿＿＿＿＿ので、今年もとても楽しみです。

3　となりに引っ越して①＿＿＿＿＿学生さんは音楽が専門らしい。夜中も彼の部屋から音楽が聞こえて②＿＿＿＿＿。今朝もわたしが外へごみを出しに行くと、大きな楽器を持って部屋から出て③＿＿＿＿＿、駅の方へ歩いて④＿＿＿＿＿。重そうな楽器だ。学校に置いて⑤＿＿＿＿＿ばいいのに、と思うが、夜も練習しなければならないのだろう。

4　どこからかニャーニャーという鳴き声がしたので、家の外に出てみると、うちの車の下から小さいねこが出て①＿＿＿＿＿。とてもかわいいので、台所からミルクとお皿を取って②＿＿＿＿＿、子ねこの前に置いた。子ねこはミルクを飲むと、また車の下に逃げてしまった。それから毎日、わたしの姿を見つけると近づいて③＿＿＿＿＿ミルクを飲んでいたが、きのう、飼い主が現れて、無事に子ねこを連れて④＿＿＿＿＿。

1. つぎの文章を読んで、文章全体の内容を考えて、 1 から 5 の中に入る最もよいものを1・2・3・4から一つえらびなさい。

　一人暮らしだと、どうしても野菜不足になります。健康のために1日に350グラムの野菜を食べるといいと言いますが、サラダだけではそんなに食べられません。でも、時間をかけて野菜の料理を作るのは面倒だし、油や塩、しょうゆを使いすぎると、別の 1 。

　そこで、わたしは考えました。栄養を逃がさないで、味付けも簡単な野菜料理を作るには蒸すのがいいと。さっそく蒸し料理用のなべを買ってきました。このなべはふたが三角帽子のような形に 2 。野菜を入れてふたをし、弱火で7、8分。火を止めてしばらくしてからふたを開けると、野菜はすっかり軟らかくなっていました。なべに水を入れなくても、野菜から出た水が水蒸気になって上に上がります。そして、ふたに当たって温度が下がり、 3 というわけです。少し塩を振っただけで十分おいしくて、野菜本来の味を楽しむことができました。気に入って、この1か月毎日蒸し野菜を食べ続けたら、体が 4 。なべに 5 説明書によると、できるだけいろいろな野菜を食べるのがいいそうです。ですから、これからは、今まであまり食べなかったほかの野菜も食べてみようと思っています。

---

1 1 問題が出てきます　　　　　2 問題が出ていきます

　 3 問題を出してきます　　　　4 問題を出していきます

2 1 なってきます　　　　　　　2 なってきました

　 3 なっています　　　　　　　4 なりました

3 1 ふたの上に落ちる　　　　　2 野菜の上に落ちる

　 3 野菜の上から落とす　　　　4 ふたの上に落とす

4 1 軽くしてきました　　　　　2 軽くしていきました

　 3 軽くなってきました　　　　4 軽くなっていきました

5 1 ついていく　　　　　　　　2 ついてきた

　 3 つけてくる　　　　　　　　4 つけていった

2. つぎの文章を読んで、文章全体の内容を考えて、 1 から 5 の中に入る最もよいものを１・２・３・４から一つえらびなさい。

今年の夏はベランダでゴーヤを育ててみることにした。ゴーヤというのは大きいきゅうりのような 1 野菜だ。暑さに強くて、病気や虫の心配もあまりないという。

まず、種の先を切り落とし、水を少し入れた皿の上に置いて、根が出てくるのを待った。四日目に白いものが 2 。これがゴーヤの根だ。土を入れたポットにそっと植えた。さらに１週間後、重い土を持ち上げてかわいい芽が出てきた。葉が４枚になったところで、大きい植木鉢に植え替えた。毎日どんどん 3 、とても楽しみだった。そのうち、つる (注) が伸びてきた。棒を立てて、このつるを巻いてやった。折れないように注意しながら、伸びた部分をなるべく横に 4 いいそうだ。やがて直径２センチぐらいの黄色い花がたくさん咲いた。一日だけ咲いて落ちてしまう花もあるし、ずっと咲いている花もある。見ると、咲き続けている花の下に小さい 5 。感動的な発見だった。

注：つる

←つる

1 1 形をする
3 形をしてきた
2 形をしている
4 形をしていく

2 1 見ている
3 見えてきた
2 見られていった
4 見えていった

3 1 大きくしていけば
3 大きくなっていけば
2 大きくしていくので
4 大きくなっていくので

4 1 広げると
3 広げてくると
2 広がると
4 広がっていくと

5 1 ゴーヤの実がついていた
3 ゴーヤの実をつけてきた
2 ゴーヤの実がつけてあった
4 ゴーヤの実がつけてきた

受身・使役・使役受身を使い分ければ、話者の立場を表すことができます。

The standpoints of the speaker is determined depending on whether the verb is passive, causative and causative passive.

区别使用被动、使役、被动使役表达方式可以表示出说话人的不同立场。

《ポイント》 受身・使役・使役受身の使い分け

受身	「ほかの人の行為」や「できごとの影響」を受ける Be affected by the behavior of somebody or the impact of an event.／表示受到他人行为的作用或某个事项的影响	
	人（話者または心理的に話者に近い人）が主語 Subject is a person (the speaker or somebody emotionally close to the speaker). 人（一般是说话人或心理上与说话人亲近的人）做主语	うちの子は先生に**しかられた**。 わたしはだれかに肩を**たたかれた**。 最後に点を**取られて**負けてしまった。 突然雨に**降られて**ぬれてしまった。
	物が主語 Inanimate object is the subject. 无生物做主语	ワインはぶどうから**作られる**。 この工場では年間25万台の車が**生産されている**。
使役	ほかの人の行為や感情を促す Induce behavior or incite feelings in another person.／表示促使他人做某事或诱发他人产生某种感情	
	行為を強制する Force or cause somebody to do something. 表示强制他人做某事	わたしは犬にボールを取りに**行かせた**。 親は子どもたちに家事を**手伝わせた**。 田村さんはいつもみんなを**待たせる**。
	行為を許す Allow somebody to do something. 表示允许他人做某事	母は疲れている。あしたは一日**休ませて**あげよう。 監督はぼくたちにジュースを**飲ませて**くれた。 わたしにも意見を**言わせて**もらいたいです。
	感情を引き出す Cause somebody to feel an emotion. 表示诱发他人产生某种情感	弟はよく母を**怒らせる**。 ヤンさんはいつもみんなを**笑わせている**。
使役受身	促す行為を受ける、感情に影響を受ける Be forced or caused to do or feel something by the behavior of another person or an external stimulus. 表示被迫做某事、由于情绪不由自主地受到外界影响而做某事	
	行為の強制を受ける Be forced or caused to do something. 表示被迫做某事	わたしは監督にボールを取りに**行かされた**。 わたしは親に家事を**手伝わされた**。 田村さんにはいつも**待たされる**。

感情に影響を受ける	わたしは弟によく**泣かされる**。
Feel an emotion in response to something.	その本を読んで深く**考えさせられた**。
表示由于情绪不由自主地受到外界影响而做某事	

練習 （　　　）の中の動詞を文章の流れに合う形にして、書きなさい。

1　父の店がテレビで（①紹介する→　　　　　）たので、急に客が増えた。そのため、父は兄や姉にも店を（②手伝う→　　　　　）ている。しかし、わたしには（③手伝う→　　　　　）つもりはないらしい。

2　サッカー部に入ったが、なかなかボールに（①触る→　　　　　）てもらえず、先輩に（②走る→　　　　　）てばかりいる。つまらないのでゆっくり走ると、すぐに大きな声で（③注意する→　　　　　）て、練習の後も部屋の掃除を（④する→　　　　　）。もう辞めようかと思った。でも、先日試合に（⑤出場する→　　　　　）てもらって、先輩によくがんばったと（⑥ほめる→　　　　　）たので、もう少し続けてみようと思う。

3　急に昔の友だちに会いたくなったので、メールを（①送る→　　　　　）た。じょうだんを言ってよくわたしたちを（②笑う→　　　　　）ていた人だ。会って話を聞くと今は３人の子どもを（③育てる→　　　　　）ているそうだが、明るさは昔と変わっていない。あまりきびしいことを（④言う→　　　　　）ないで、子どもたちを自由に（⑤遊ぶ→　　　　　）ているのだそうだ。彼女らしい（⑥育てる→　　　　　）方だと思った。

4　病院や銀行などでは、順番を待つ人に待ち時間を長く（①感じる→　　　　　）ないように、いろいろな工夫を（②する→　　　　　）ている。待合室などに（③置く→　　　　　）てあるテレビや雑誌もその一つだ。絵本やおもちゃも、親に連れて（④くる→　　　　　）た子どもを（⑤あきる→　　　　　）ないためのものだ。しかし、いちばんいいのは、病院や銀行が人を（⑥待つ→　　　　　）ないことだろう。

6 課 話者が見る位置を動かさない手段-4　～てあげる・～てもらう・～てくれる

ポイント1 比べて考えたとき、心理的に話者に近い方の立場に立って文を作ります。

These forms express relative closeness of relationship. The speaker can choose a standpoint that identifies with a person to whom he is emotionally or personally close.

这些表达方式可以表示亲疏关系。说话人在表达时，一般会选择与心理上和自己亲近的人相同的视角。

●は○に～てあげる：　●→○　　　●：話者／話者に近い人

●は○に～てもらう：　●←○　　　○：話者から遠い人

○は●に～てくれる：　○→●

×　山川さんはわたしの母に服を作ってあげました。（山川さんより母の方が近い）

○　わたしの母は山川さんに服を作ってもらいました。

ポイント2 いやな気持ちを表すときは、話者を主語にして受身文で言います。　→第3部 5課

When expressing an unpleasant feeling, the passive voice is used with the speaker as (implied) subject.

如果是让说话人讨厌的事项，会选择说话人做主语、谓语动词使用被动形式。

例・どろぼうに荷物を持っていかれた。（いやな気持ち）

・（わたしは）カンさんに荷物を外に持っていってもらった。（うれしい気持ち）

・カンさんが荷物を外に持っていってくれた。（うれしい気持ち）

ポイント3 「～てもらう」の文は、いつも「〈人〉に（～を）～てもらう」という形になります。

「～てあげる・～てくれる」の文では、動詞に合った助詞を使います。

With ～てもらう sentences, the ～に (person) (～を) (object) ～てもらう form is always used. With ～てあげる and ～てくれる sentences, a particle that fits the verb is used.

使用「～てもらう」时，表示人物的名词后一般接助词「に」，即「〈人〉～に（～を）～てもらう」。但如果是「～てあげる・～てくれる」，则需要根据它前面的动词来选择恰当的助词。

助詞・動詞の例	例文
〈人〉を 誘う、起こす、泊める、招待する	わたしは友だちを部屋に泊めてあげた。 山口さんはわたしをパーティーに招待してくれた。
〈人〉に～を (注1) 貸す、教える、見せる、紹介する	母はおじにお金を貸してあげたようだ。 ヤンさんはわたしに中国語を教えてくれる。
〈人〉に～を (注2) 作る、買う、歌う、読む	わたしは毎晩子どもたちに本を読んでやっている。 山川さんはわたしに指輪を買ってくれた。
〈人〉の～を 持つ、運ぶ、直す、手伝う	姉は高橋さんの仕事を手伝ってあげたそうだ。 ヤンさんがわたしのパソコンを直してくれた。

注１：必ず「〈人〉に〜を」を使う動詞

Note 1: Verbs that must take the 〜に (person), 〜を construction.

注１：此类动词一定使用「〈人〉に〜を」。

注２：本来は「〜を」を使う動詞だが、ある人のためにその行為をするときだけ「〈人〉に〜を」を使う動詞

Note 2: Verbs that normally take 〜を (object), and can only take the 〜に (person), 〜を (object) construction when the subject does something for someone.

注２：此类动词原本应刻用「〜を」，但唯有在表示为某人做某事时，使用「〈人〉に〜を」。

練習 | 最も適当なものを選びなさい。

1　きのうかぜで一日中寝ていた。同じアパートのカンさんが、晩ご飯を作って（① a あげた　b もらった　c くれた）。カンさんは料理が上手で、ときどき大家さんにも国の料理を作って（② a あげている　b もらっている　c くれている）。「ぼくは大切な仕事がある日は、大家さんに頼んで（③ a 起こしてあげて　b 起こしてもらって　c 起こしてくれて）いるので、そのお礼なんです。」とカンさんは言う。

2　となりの鈴木さんは親切な人だ。わたしは前に鈴木さんにこわれた自転車を（① a 直してあげた　b 直してもらった　c 直してくれた）ことがある。その自転車は、学校の（② a 先輩にゆずってあげた　b 先輩にゆずってもらった　c 先輩がゆずってあげた）物だ。鈴木さんがこわれていたベルを（③ a 取り替えてあげた　b 取り替えてもらった　c 取り替えてくれた）ので、ずっと使っていたのだが、この間、だれかにそのベルを（④ a 盗んでもらって　b 盗ませて　c 盗まれて）しまった。

3　ある日、宿題で書いた日本語の作文をだれかに（① a 見てあげたい　b 見てもらいたい　c 見せてもらいたい）と思ったので、アルバイトをしている店の店長に頼んでみた。すると、高校生の娘さんを（② a 紹介してあげた　b 紹介してもらった　c 紹介してくれた）。娘さんは英語が苦手らしいので、わたしはときどき日本語を（③ a 教えてあげる　b 教えてもらう　c 教えてくれる）かわりに、英語を（④ a 教えてあげる　b 教えてもらう　c 教えてくれる）ことにした。

1. つぎの文章を読んで、文章全体の内容を考えて、 1 から 5 の中に入る最もよいものを1・2・3・4から一つえらびなさい。

　先日、後ろから来た自転車に 1 しまいました。わたしは歩道を歩いていたのですから、悪いのはもちろん自転車の方です。

　次の日、その歩道で今度はわたしが自転車に乗っていたときのことです。小さい子どもを連れたお母さんが前を歩いていたので、ベルを 2 。すると、そのお母さんは「自転車で歩道を走らないで。」と言いました。 3 困ると言いたそうな顔で、彼女はわたしをにらみました。

　道路交通法という法律がありますが、2008年に改正されて、歩道の安全のために自転車は基本的に車道を走ることになりました。けれども、車が多い場合、自転車で車道を走ったら、 4 迷惑でしょう。この法律には自転車に乗る人の年齢などいろいろ条件があるようですが、わたしは自転車で危険な車道を 5 いやです。でも、歩く人の立場になって考えると、歩道を走る自転車は迷惑です。自転車のための道がもっと増えればいいのに、と思います。

1 　1　ぶつけて　　　　　　　　　　　2　ぶつけられて

　　3　ぶつけさせて　　　　　　　　　4　ぶつけさせられて

2 　1　鳴らしました　　　　　　　　　2　鳴らされました

　　3　鳴らしてもらいました　　　　　4　鳴らしてくれました

3 　1　注意させられないと　　　　　　2　注意させないと

　　3　注意してあげないと　　　　　　4　注意してくれないと

4 　1　車の人には　　　　　　　　　　2　歩く人には

　　3　自転車の人には　　　　　　　　4　子どもやお年寄りには

5 　1　走れるのは　　　　　　　　　　2　走らされるのは

　　3　走ってあげるのは　　　　　　　4　走ってもらうのは

2. つぎの文章を読んで、文章全体の内容を考えて、　1　から　5　の中に入る最もよいものを1・2・3・4から一つえらびなさい。

　わたしたちはどんなときに「税金」のことを考えるでしょうか。スーパーで肉や野菜を買うときなどは、税金（消費税）を払っているという意識はあまり高くないかもしれません。たばこ税や酒税についても、値段の中に初めから入っているため、税金を　1　という意識は薄いでしょう。

　しかし、例えば何かの修理を頼むときなどは意識が強くなるでしょう。修理代のほかに、　2　ことがわかります。もし税金が加わらなければもっと安いのになあ、と残念な気がします。また、会社から給料を　3　ときも同じような気持ちになります。全体の給料から税金が　4　、実際に受け取れる金額が少なくなるからです。

　このように、わたしたちは意識してもしなくても、さまざまな場面で税金を払っています。政府には、わたしたちから取る税金の使い方をもっとしっかり　5　。

---

1 1 払わせている
　2 払わされている
　3 払ってもらえる
　4 払ってくれる

2 1 税金が取られる
　2 税金を取らせる
　3 税金を払ってあげる
　4 税金を払ってもらう

3 1 払った
　2 あげた
　3 くれた
　4 もらった

4 1 引かれるので
　2 引かれても
　3 引かせるのに
　4 引かせても

5 1 考えられます
　2 考えてあげたいです
　3 考えてもらいたいです
　4 考えてくれます

7課 ［か］ こ・そ・あ

まとまりのある文章［ぶんしょう］にするために、「こ・そ・あ」を使い分けることが大切です。

To ensure a sentence is coherent, it is important to correctly distinguish the usage of こ, そ and あ.

要保证前后句之间的连贯性，需要有效区分使用「こ・そ・あ」等系列的指示代词。

［ポイント1］ 文章の中では、前の文の中の語や文の内容を指すとき、ふつう「そ」を使います。ただし、自分と心理的に近いことを示したいときは「こ」を使うことが多いです。

そ -words are usually used to refer to a word or statement occurring previously. However こ -words are often used for things that matter to the speaker emotionally.

篇章中表示前指通常使用「そ」系列的指示代词。不过，如果指代对象心理上与自己比较亲近，多使用「こ」系列的指示代词。

例 ・書類［しょるい］をどこかに置き忘れた。**それ**には大切な情報が書いてあったのだが……。
・実験［じっけん］は安全［あんぜん］だろうか。まず**その**ことを確かめてから始めたい。
・新しい市長［しちょう］が決まった。**この人**はわたしの高校時代の同級生である。

［ポイント2］ 個人的［こじんてき］な文章の中で、思い出している物を指すとき、「あ」を使います。

あ -words are used in personal statements to refer to remembered things.

在讲述个人经历的篇章中，记忆中的事物或事项应该选用「あ」系列的指示代词。

例 ・子どものころ、近くの公園でよく遊んだ。**あの公園**はまだ残っているだろうか。

［ポイント3］ 文章の中の「こ・そ」の形

形［かたち］	使い方［つかいかた］	例文［れいぶん］
それ これ	物・内容を指す Used to refer to objects or what has been said. 用于指代事物或内容	友だちから指輪をもらった。**これ**は今、わたしの宝物である。 進学するお金がない。**それ**が問題だ。
そこ ここ	場所・部分を指す Used to refer to places or parts of a whole. 用于指代场所或整体中的某个部分	港に着いて船を降りた。**そこ**で母が待っていた。 この曲は初めのメロディがすてきだ。**ここ**は何度聞いてもあきない。
その この	限定する Used to define, limit or specify. 表示限定	明日、ある会社の社長に会う。**その会社**は大阪にある。 今年の誕生日に山に行った。**この日**は非常に寒かった。

そんな こんな そういう こういう	状況を指す Used to refer to a state or condition. 用于指代某种状况	妹は一日12時間も寝る。**こんな**人は珍しいのではないか。 この川では最近全く魚が釣れない。**そういう**ことは今まで なかった。
こう そう	前の文の内容を指して副詞のように使う Used to refer to the previous sentence and used with a verb like an adverb. 用于指代上句的内容，功能与副词类似	困ったとき助けてくれる友だちがいる。**そう**思うと安心する。 忙しい、時間がない。**こう**言い訳するのがわたしのくせだ。 毎日朝夕5分間ずつ英語を聞く。**こう**すると聞き取りが上達する。

練習 どちらか適当な方を選びなさい。

1 今日は友だちに会う約束があった。わたしは (a それ　　b そこ) を忘れていた。

2 中山君が不合格だったそうだ。(a そんな　　b あんな) ことは信じられない。

3 今日は朝から大雨でいやだなあ。(a そういう　　b こんな) 日はどこへも出かけたくない。

4 図書館で、必要な本をほかの人が借りていることがあります。(a そういう　　b それの) 場合は、予約をすることができます。

5 少子化というのはそんなに悪いことではないのではないか。(a こう　　b これを) 考える人も多いだろう。

6 世の中には自分とそっくりな人が3人いるという。しかし、わたしは (a その　　b そんな) 人には会ったことがない。

7 パリには前に一度行った。(a その　　b そんな) ときわたしは二十歳だった。

8 眠れないときは薬を飲めばいいと中川さんは言うが、(a そう　b そうするの) がいいとは思えない。

9 天ぷらは野菜などに卵と小麦粉をつけて、(a それを　　b その) 油で揚げた料理です。

10 友だちが映画の話をしていたが、わたしは (① a その　　b あの) 映画を知らなかった。とても面白いそうだ。友だちが (② a そう　　b そうと) 言ったのでぜひ見たいと思い、レンタルショップに行ったが、(③ a それ　　b そこ) には置いていなかった。

8課 は・が

まとまりのある文章にするために、「は・が」を使い分けることが大切です。

To ensure sentence cohesion, it is important to correctly distinguish between は and が.

要保证篇章中前后句之间的连贯性，要特别注意「は・が」的用法的不同。

ポイント1 「が」を使う場合　が is used：／用「が」时

1. 初めて話題に出たものや特に伝えたいことを言うとき

   When describing a topic introduced for the first time or when you particularly want to emphasize something.

   导入新信息及说话人想要特别强调的信息时

   例・昔、ある村に太郎という若者が住んでいた。

   ・明日、首相がこの市に来る。

2. 自然現象やその場で見たこと・聞いたことを言うとき

   In describing natural phenomena and things you have seen or heard in person.

   叙述自然现象或自己亲身感知到的事项、情景时

   例・久しぶりに公園を散歩した。桜がとても美しかった。

   ・ここはいい所だ。さわやかな風が吹いて、木の上で鳥が鳴いている。

3. 名詞を説明する文 や 条件・時・理由などを表す文 の中の主語を言うとき

   When highlighting the subject in statements in which the noun is modified, or which express conditions, time or reasons.

   接在修饰主名词、对其进行解释的小句主语及表示条件、时间、理由等的小句的主语后面时

   例・あの作家が書いた 本を一度読んでみるべきだ。

   ・ヤンさんが来たら 、この書類を見せよう。

ポイント2 「は」を使う場合　は is used：／用「は」时

1. ある話題を取り上げるとき、一度前に出た話題を言うとき

   When raising a topic, and when referring back to a topic mentioned before.

   表示旧信息或提示某个话题时

   例・日本語能力試験は大勢の人が受験する。

   ・昔、ある村に太郎という若者が住んでいた。太郎はとても貧乏だった。

２．特に話題にすること・強調すること・否定することを言うとき

When drawing attention to, emphasizing or negating a topic.／提示自己关心的某个话题、表示强调或否定某个事项时

例・日本では車は道の右側を通ることになっています。

・あの人とは結婚しようとは思わない。

３．二つのことを対比して言うとき

To explicitly contrast two things.／表示对比时

例・梅の花は咲いていますが、桜はまだです。

・雪は降っているが、風はない。

・外ではコートを着ますが、部屋の中では脱ぎます。

練習　「は」か「が」を＿＿＿の上に書きなさい。

１　きのう授業＿①＿終わってから、クラスのカーンさんと本屋へ行きました。カーンさん＿②＿日本語のテキストを買いたいと言ったので、いっしょに買いに行くことにしたのです。カーンさん＿③＿、会話＿④＿まあまあ大丈夫だけれど、書くのはまだ下手だと言いました。わたしはその反対です。

本屋＿⑤＿7階まであります。まっすぐ5階の日本語のコーナーへ行きました。日本語のテキスト＿⑥＿たくさん並んでいました。その中に松本先生＿⑦＿紹介してくださった本＿⑧＿ありました。それ＿⑨＿中級のレベルの言葉＿⑩＿ていねいに説明されている本です。また、カーンさん＿⑪＿漢字の練習帳も必要だと言って、表紙＿⑫＿とてもきれいな漢字の本を選びました。買う本＿⑬＿1階に持っていって、1階のカウンターでお金を払いました。

２　日本人＿①＿発明した物はいろいろあるが、胃の中を写す「胃カメラ」も日本人の発明であること＿②＿あまり知られていない。胃カメラ作り＿③＿始まったの＿④＿、第二次世界大戦＿⑤＿終わったばかりの1949年だった。光＿⑥＿ない胃の中の写真を撮ること＿⑦＿できないとだれもが考えたが、小さい電球の弱い光でも写真＿⑧＿撮れる方法を工夫して、1年後胃カメラを完成させた。胃カメラ＿⑨＿胃の病気を早く発見するのに役立って、世界中で多くの人を助けている。

まとめ問題（7課・8課）

1. つぎの文章を読んで、文章全体の内容を考えて、 ____1____ から ____5____ の中に入る最もよいものを1・2・3・4から一つえらびなさい。

面白い ____1____ 。

ある日ある所で豚とペンギン(注)が出会った。ペンギンは豚に「今日は暑いね」と言った。豚は「いや、そんなことはない。過ごしやすい日だよ」と言った。「違うよ。ほら、温度計を見ろよ。気温は高いよ。25度だよ」「25度？　ちょうどいい気温じゃないか」ペンギンと豚はとうとうけんかになってしまった……という話である。

もちろん、豚とペンギンは一つのたとえなのだが、 ____2____ わたしたちの日常によくあることだ。南極から来たペンギンと暖かい所に住む豚の感じ方が違うように、暑さ、うるささ、美しさ、広さ、便利さなどは、人によって基準が違う。その基準は ____3____ 性格や生まれ育った環境によってでき上がるのだろう。それぞれ ____4____ 違う人が集まって集団をつくり、人間はその集団の中で生活している。このことをよく理解しなければ、わたしたちはこの話を ____5____ 。

注：ペンギン

参考：©小泉吉宏／メディアファクトリー

____1____ 1 漫画がある　　2 漫画はある　　3 漫画である　　4 漫画でもある

____2____ 1 このことは　　　　　　　　2 このことが

　　　3 こういうことは　　　　　　4 こういうことが

____3____ 1 そんな　　2 そういう　　3 その人の　　4 そんな人の

____4____ 1 基準は　　2 基準が　　3 基準でも　　4 基準では

____5____ 1 怒らないだろう　　　　　　2 怒れないだろう

　　　3 笑わないだろう　　　　　　4 笑えないだろう

2．つぎの文章を読んで、文章全体の内容を考えて、　1　から　5　の中に入る最もよいものを1・2・3・4から一つえらびなさい。

わたしはロボットに関心があります。ロボットというのは工場などで人間に代わっていろいろな仕事をする機械のことだと思う人が多いかもしれませんが、わたしが研究したいのは　1　、ペットの代わりをするロボットなのです。つまり、　2　ロボットです。動物が好きな人はペットと遊ぶことで心が明るくなるようです。しかし、ペットを飼いたくても飼えない人もいます。　3　ペットロボットです。

すでに日本ではいくつかのペットロボットが売られています。これらの　4　喜んだり声を出したりします。ペットロボットは病気の子どもたちやお年寄りを元気にするために役立てられています。ある研究所の調査によると、ペットロボットと遊んだ後は気分がよくなった、ほかの人との会話が増えた、話題がペットロボットについての明るい内容に変わった、などのいい効果が出ているとのことです。

わたしは、　5　ペットロボットの研究を一生のテーマにしたいと思っています。

1　1　このような産業ロボットで　　2　このような産業ロボットではなく
　　3　そういう産業ロボットで　　4　あのような産業ロボットではなく
2　1　人間をかわいがる　　2　人間はかわいがる
　　3　人間にかわいがられる　　4　人間がかわいがられる
3　1　そんな人が作ったのは　　2　この人のために作れたのが
　　3　こういう人によって作られたのは　　4　そんな人のために作られたのが
4　1　ペットロボットは本物の動物のように
　　2　ペットロボットが本物のロボットのように
　　3　ペットロボットは本物の人間のように
　　4　ペットロボットが本物のように
5　1　このような心理的効果がある　　2　このような心理的効果はなくても
　　3　この心理的効果があって　　4　その心理的効果がなくても

9課 接続表現

ポイント 文章で使うN3レベルの接続表現の使い方は次のようなものです。

N3-level conjunctive terms in a sentence are used as follows.

篇章中使用的N3的连词用法如下所示。

1. 加えて言う　To add information.／表示添加

- ・ノートパソコンは場所を取らない。**また**、持ち運びにも便利だ。
- ・彼は料理を二人分も食べた。**さらに**、食後にケーキも食べた。
- ・毎日勉強が大変だ。**そのうえ**、アルバイトもしている。
- ・小川さんは仕事が早い。**しかも**、正確だ。
- ・作文を書き直させられた。**それも**、3回もだ。

2. 結果・結論を言う　To express a result or conclusion.／表示结果或结论

- ・事故があった。**そのため**、道が込んでいる。
- ・この調査方法には間違いがある。**したがって**、この結果は正しいとは言えない。
- ・部屋に本が増えてきた。**そこで**、本だなを買うことにした。
- ・紅茶にレモンを入れた。**すると**、色が変わった。

3. 理由・根拠を言う　To express a reason or grounds for doing something.／表示理由或根据

- ・大学では文学を勉強したい。**なぜなら／なぜかというと**、作家になりたいからだ。

4. 別の言い方で言う　To indicate an alternative way of expressing something.／表示换个说法

- ・この仕事は土曜日と日曜日が休みだ。**つまり**、週休二日だ。

5. 比べて言う　To compare, or express a contrast.／表示比较

- ・妹は明るい。**それに対して／一方**、姉はおとなしい。

6. どちらかであることを言う　To choose among alternatives.／表示"或者……或者……"

- ・出欠の返事はメールで知らせてください。**または**、ファクスでもいいです。

7. 前の文から予想されることと違うことを言う

When an event or situation expected in a previous statement does not occur.／表示与预期不同

- ・家に電話をかけた。**だが**、だれも出なかった。
- ・彼はもう空港に着いているはずだ。**ところが**、まだ何も連絡がない。

8. 条件・例外などを加える

To express reservations or highlight a disadvantage about something, or to express conditionality or add exceptions.

表示补充条件、例外事项等

・このアパートはとてもいい。**ただ**、家賃が高い。

・試験に欠席したら不合格だ。**ただし**、特別な理由があれば別の日に受けられる。

9. 話題を変える　To change the subject.／表示转换话题

・いい会社に就職が決まってよかったですね。**ところで**、ご家族はお元気ですか。

練習　最も適当なものを選びなさい。

1　ある調査によると、女性の半分以上が結婚式をしたいと考えているそうだ。(a 一方　b または　c さらに)、男性はどちらでもいいという人が多かった。

2　何度もメールをしてみましたが、見ていないのか、全く返事が来ません。(a つまり　b そこで　c そのうえ)、直接電話をかけてみました。

3　ねこにとって目を合わせることは「敵」の感情を持っていることを意味する。(a または　b それとも　c したがって)、ねこが横を向くのは逆に親しみを表すと考えられる。

4　豆腐は安くて栄養が豊富です。(① a すると　b それに対して　c しかも)、いろいろな料理に使えます。(② a そのため　b ただし　c だが)、日本人の食生活には欠かせない食品になっています。

5　若者は、いろいろなことに興味を持ち、何でもやってみるというイメージがある。(① a そのため　b ところが　c なぜなら)、最近日本の若者が外国に関心を持たなくなったという話を聞く。海外旅行や海外留学をする人が減っているというのだ。(② a だが　b または　c また)、海外で仕事をしたいと考える人も少なくなっているそうだ。(③ a すると　b ただ　c したがって)、若者の数そのものが減っているし、経済的、社会的な問題もあると考えられるので、単純に若者の考え方が変わったとは言えないかもしれない。

10課　文章の雰囲気の統一

文章全体を同じ雰囲気にするために、気楽な話し言葉と硬い言葉をいっしょに使いません。また、文章全体を「丁寧体（です・ます）」か「普通体（だ／である）」に統一します。

In order to ensure a unified tone, casual and formal language are not used together. You should also adhere to a single register, whether using 丁寧体 (です and ます) or 普通体 (だ or である) verb forms.

要保证篇章结构上下文的统一，就不能将语气随便的口语体表达方式和正式的书面语表达方式混杂在一起使用。此外，篇章的语体也应该统一，都用"礼貌体"(です・ます)或都用"简体"(だ／である)。

× これは日本の会社の製品です。でも、タイで作られた。

○ これは日本の会社の製品です。しかし、タイで作られました。

○ これは日本の会社の製品だ（である）。だが、タイで作られた。

ポイント1 レポートや論文などの硬い文章では、「普通体（だ／である）」を使います。また、文を続けるとき、「て形」のかわりに以下のような形を使うことがあります。

Formal language used in reports and articles should use the 普通体 (だ or である) forms. In addition, for continuity, the □ form can be replaced by the forms below.

研究报告、论文等偏正式的文章一般使用"简体"(だ／である)。此外，其中顿形一般也不使用"て形"，而是使用下面的形式。

・文法の説明を読み、例文を見た後で練習問題をし、答えを確認する。

・この地方はほとんど雨が降らず、昼は非常に暑く、夜は0度まで気温が下がる。

・この家具は機械を使用せず、人の手だけで作られており、温かみが感じられる。

ポイント2 硬い文章では、ふつうくだけた形を使ったり助詞を省略したりしません。

In formal language, colloquially abbreviated forms (like みなきゃ) and omission of particles are not acceptable.

正式语体中一般不使用过于口语化的表达方式，也不会省略助词。

× 詳しいこと調べてみなきゃ、結論出せないんじゃない？

○ 詳しいことを調べてみなければ、結論は出せないのではないか。

ポイント3 硬い文章でよく使う表現は次のページのようなものです。

Commonly used forms in formal language are as follows.

正式语体中常用的表达方式如下页所示。

	硬い文章で使う表現 Expressions used in formal language. 正式语体中常见的表达方式		日常会話で使う表現 Expressions used in daily language. 日常会话常用表达方式
副詞・形容詞	非常に・大変	この計画は**非常に**困難だ。	すごく
	多く・大勢	この食品はビタミンCを**多く**含む。	いっぱい
	少し	言葉は**少し**ずつ変化している。	ちょっと
	やはり	**やはり**実験は成功しなかった。	やっぱり
	さまざまな・いろいろな	**さまざまな**考え方がある。	いろんな
動詞	述べる・話す・言う	これからこの物質の特徴を**述べる**。	しゃべる
	行う	大統領選挙は7月に**行われた**。	やる
接続表現	しかし・だが	これは難しい。**だが**、挑戦しよう。	でも・だけど
疑問詞	なぜ	**なぜ**我々は働くのだろうか。	なんで
助詞	～など	金属には金や銀**など**がある。	なんか
その他の表現	～と・～という・～そうだ	それは事故だ**という**。	～って
	～ようだ・～らしい	彼の言葉は真実ではない**ようだ**。	～みたいだ

練習 ＿＿＿の部分は文章の雰囲気に合っていません。合うように書き換えなさい。

多くの外国人にとって東京のイメージは、どこへ行っても人が ①いっぱいいて、高いビルが ②すごく多い大都市だ ③っていうものであろう。 ④だけど、日本に来てみると、その考えは ⑤ちょっと変わる。確かに東京は大都市だが、都会的な場所だけではなく、林や畑 ⑥なんかの自然も目にすることが ⑦できます。このようなことはテレビを見るだけ ⑧じゃわからない。⑨やっぱり実際に住み、⑩いろんな所を見てはじめてわかること ⑪なんじゃ ⑫ないでしょうか。

①： ＿＿＿＿＿＿＿＿＿　②： ＿＿＿＿＿＿＿＿＿　③： ＿＿＿＿＿＿＿＿＿

④： ＿＿＿＿＿＿＿＿＿　⑤： ＿＿＿＿＿＿＿＿＿　⑥： ＿＿＿＿＿＿＿＿＿

⑦： ＿＿＿＿＿＿＿＿＿　⑧： ＿＿＿＿＿＿＿＿＿　⑨： ＿＿＿＿＿＿＿＿＿

⑩： ＿＿＿＿＿＿＿＿＿　⑪： ＿＿＿＿＿＿＿＿＿　⑫： ＿＿＿＿＿＿＿＿＿

1. つぎの文章を読んで、文章全体の内容を考えて、 1 から 5 の中に入る最もよいものを1・2・3・4から一つえらびなさい。

　わたしは料理が大好きで、自分の息子たちにも小さいころから料理を 1 。ある日、息子が一人で家族のために卵の料理を作ってくれた。わたしたちは喜んでさっそく一口食べてみた。 2 、そのおいしそうな料理は、とても辛かった。息子がトマトケチャップだと思って入れたのは、実は辛いソースだったのだ。息子は泣きそうな顔をしていた。わたしは、「この子が家族を喜ばせようと思ってしたことなのだから、その気持ちは絶対に無駄にしたくない」と思った。 3 、その辛い料理を使って新しい料理を作ることにした。「失敗は悪いことじゃないよ。それに、これは失敗ではなくて、まだ途中なんだから」と言いながらスープを 4 、その卵料理を入れてみた。すると、ふつうのスープが本当においしいスープに変わった。息子も 5 。

参考：青木祐人・青木のぞ美『ゆうとくんちのしあわせごはん』宮帯出版社

1	1 されている	2 させている	3 してきた	4 させられてきた
2	1 ところが	2 ところで	3 つまり	4 しかも
3	1 さらに	2 また	3 そこで	4 ただ
4	1 作ったので	2 作ったが	3 作った	4 作り
5	1 笑顔になったんだ		2 笑顔になっていた	
	3 笑顔を見ていた		4 笑顔を見たんだ	

2. つぎの文章を読んで、文章全体の内容を考えて、 1 から 5 の中に入る最もよいものを1・2・3・4から一つえらびなさい。

100年前と今

リュウ　エイ

　100年前と今とを比べると、いろいろなことが変わってきた。今、わたしたちはさまざまな技術のおかげで、便利な生活を送っている。 1 、人の心も昔よりよくなったと言えるだろうか。

　例えば、今はお金さえ払えばいつでも自分の食べたい物が買えるので、食べ物のありがたみがわからなくなってきている。 2 、昔は今より食べ物を手に入れることが難しかった。そのため、今よりもずっと感謝の心を持っていたはずだ。

　また、今は、通信手段が発達してきて、人と 3 コミュニケーションが取れるようになった。便利にはなったが、その分、心の距離は遠くなってしまった。昔の人は、いつも相手と直接会って 4 、今よりも親しい関係を作ることができていたのではないだろうか。

　今のわたしたちも、昔の人のように感謝の心を持ち、もっと人間関係を大切にすれば、100年前と同じような心豊かな生活が送れるように 5 と思う。

1	1	すると	2	それから	3	しかし	4	しかも
2	1	または	2	一方	3	ただ	4	それに
3	1	会わずに	2	会えず	3	会えなく	4	会わなくなり

4　1　話していたのが　　　　　　　　　2　話していたけど
　　3　話していたのに　　　　　　　　　4　話していたので

5　1　なるのではないか　　　　　　　　2　なるのではないかな
　　3　なるのではないだろう　　　　　　4　なるのではないでしょう

<ruby>模<rt>も</rt>擬<rt>ぎ</rt>試<rt>し</rt>験<rt>けん</rt></ruby>

問題1　つぎの文の（　　　　）に入れるのに最もよいものを、1・2・3・4から一つえらびなさい。

1　一度（　　　）会ったことがあれば、友だちだと考える人もいる。

1　も　　　　　　　　　　　　　2　でも

3　さえ　　　　　　　　　　　　4　こそ

2　ここにたくさんのびんがあります。大きさ（　　　　）三つに分けてください。

1　に比べて　　　　　　　　　　2　について

3　によって　　　　　　　　　　4　に対して

3　A「この本、面白かったですよ。」

　　B「じゃ、わたしにも（　　　）ほしいです。お借りしてもいいですか。」

1　読んで　　　　　　　　　　　2　読まれて

3　読ませて　　　　　　　　　　4　読むのが

4　日本では、秋は（　　　）とてもいい季節だと言われている。

1　読書するのに　　　　　　　　2　読書することで

3　読書できるように　　　　　　4　読書できるうちに

5　きのうの試験で自分では正しい答えを（　　　　）が、わたしの答えは間違いだった。

1　書くつもりになった　　　　　2　書いたつもりだった

3　書くことになった　　　　　　4　書いたことだった

6　後輩「それ、何ですか。」

　　先輩「京都の写真だよ。」

　　後輩「あ、京都へ（　　　）んですか。桜がきれいだったでしょう。」

1　参られた　　　　　　　　　　2　いられた

3　伺われた　　　　　　　　　　4　行かれた

7　そんなに仕事を（　　　　）、体をこわしますよ。

1　したばかりだと　　　　　　　2　してばかりいると

3　したところでは　　　　　　　4　したところだと

8　球技というのは、ボールを使うスポーツ（　　　　）。

1　というのだ　　　　　　　　　2　というものだ

3　という　　　　　　　　　　　4　のことだ

9　わたしがこの町のことをよく知っているのは、前に（　　　　）。

1　住んでいたんですから　　　　2　住んでいたからなんです

3　住んでいたんです　　　　　　4　住んでいました

10　報告書はこのような書き方では（　　　　）と思います。

1　わかりやすかった　　　　　　2　わかってもらいたい

3　わかってもらえない　　　　　4　わかりそうだ

11　店長「あれ、田中君は？」

店員「さっき電話があって、少し（　　　　）。」

1　遅れることです　　　　　　　2　遅れるとのことです

3　遅れようとしています　　　　4　遅れようと言っています

12　わたしは疲れたら無理をしないで十分（　　　　）。

1　寝るようにしている　　　　　2　寝るようになっている

3　寝るということだ　　　　　　4　寝るというところだ

13　A「今度の試験、受けないんですか。」

B「ええ。でも、合格を（　　　　）。次回受けます。」

1　あきらめたわけではありません　　2　あきらめたつもりではありません

3　あきらめないわけにはいきません　　4　あきらめないのではありません

問題2　つぎの文の＿★＿に入る最もよいものを、1・2・3・4から一つえらびなさい。

14　子どものころから、＿＿＿＿　＿＿＿＿　＿★＿　＿＿＿＿と言われてきた。

1　考えて　　　　　2　行動する　　　　3　周りのことを　　4　ように

15　わたしは＿＿＿＿　＿＿＿＿　＿★＿　＿＿＿＿必ず答えはあると思う。

1　難しい　　　　　2　どんなに　　　　3　たとえ　　　　　4　問題でも

16　会う約束をした友だちから＿＿＿＿　＿＿＿＿　＿★＿　＿＿＿＿メールが来た。

1　電車が　　　　　2　乗っている　　　3　という　　　　　4　止まっている

17　古くなった歯ブラシを掃除用具＿＿＿＿　＿＿＿＿　＿★＿　＿＿＿＿した。

1　使う　　　　　　2　として　　　　　3　に　　　　　　　4　こと

18　学生「先生、スピーチではわたしの家族の話をしたいんですが……。」

　　先生「うーん。スピーチのテーマは何でも＿＿＿＿　＿＿＿＿　＿★＿　＿＿＿＿ことだけです。」

1　わけではなく　　2　に関する　　　　3　日本文化　　　　4　いいという

問題3　つぎの文章を読んで、文章全体の内容を考えて、 19 から 23 の中に入る最もよいものを、1・2・3・4から一つえらびなさい。

米

リー　リサ

　わたしは毎日昼ごはんにはおにぎりを食べます。おにぎりを食べると、元気が出るような気がします。おにぎりを食べながら、米について 19 。

　米作りは大昔、アジアの暖かい地方で始まったと考えられています。そして、今、米は 20 食べられています。エネルギーの素になり、また、栄養のバランスがいいということも主食になっている理由の一つだと思います。

　 21 今、日本では、若い人たちを中心に米を食べる人が減っていると聞きました。ご飯を炊いておかずを作るより、パン、うどん、ラーメンなどの方が簡単に食べられるからでしょう。もちろんいろいろな種類の食事ができることはとても楽しいことですが、わたしは米のよさがもっと 22 と思います。日本の気候は米作りに合っているので、国内でおいしい米ができます。わたしはその土地で昔から作られてきたものを食べるのがいちばん体に合っていて健康的だと考えています。そういう意味で、米は日本人にとって最も健康的な食品 23 。

19　1　いろいろなことを知っています　　　2　いろいろなことが知られています
　　3　いろいろなことを考えます　　　　　4　いろいろなことが考えられます
20　1　アジアの人たちの主食が　　　　　　2　アジアの人たちが主食で
　　3　アジアの人たちが主食として　　　　4　アジアの人たちの主食として
21　1　つまり　　　　　　　　　　　　　　2　ところが
　　3　または　　　　　　　　　　　　　　4　しかも
22　1　見直されたからいい　　　　　　　　2　見直されたらいいのに
　　3　見直せるからいい　　　　　　　　　4　見直してあればどうか
23　1　なのではないでしょうか　　　　　　2　だと言えるのでしょうか
　　3　なのではないでしょう　　　　　　　4　のわけではないでしょう

問題1　つぎの文の（　　　）に入れるのに最もよいものを、1・2・3・4から一つえらびなさい。

1　最後の問題の答えを書いた（　　　）、試験の終わりのベルが鳴った。

　　1　ばかりで　　　　　　　　　　2　ままで

　　3　ところで　　　　　　　　　　4　とおりで

2　虫がいたので（　　　）、どこかに逃げられてしまった。

　　1　捕まえるようにしたら　　　　2　捕まえようとしたが

　　3　捕まえることにして　　　　　4　捕まえるようになって

3　A「昼ごはん、もう食べた？」

　　B「うん、（　　　）けど、まだ、おなかがすいている。」

　　1　食べるようにした　　　　　　2　食べようとした

　　3　食べることにした　　　　　　4　食べたことは食べた

4　皆さんご存じ（　　　）、この学校ができてから来年で60年になります。

　　1　によれば　　　　　　　　　　2　によって

　　3　のように　　　　　　　　　　4　のことに

5　A「突然おじゃまして、すみませんでした。」

　　B「こちらこそ、せっかく（　　　）、時間がなくてすみませんでした。」

　　1　来てくれて　　　　　　　　　2　来てくれたのに

　　3　来てくれたら　　　　　　　　4　来てくれたなら

6　虫に刺されたところが赤くなって、かゆい（　　　）痛くなった。

　　1　というので　　　　　　　　　2　というより

　　3　といって　　　　　　　　　　4　というほど

7 あのとき君に（　　　　）、ぼくの人生はきっと全然違っていただろう。

1 会っていなければ　　　　　　　2 会ってからでなければ

3 会ったことから　　　　　　　　4 会ったのだから

8 A「ああ、どうしよう。あしたのスピーチ、うまくできるかなあ。」

B「（　　　　）よ。お客さんはみんな知っている人たちばかりだから。」

1 心配することはない　　　　　　2 心配するわけではない

3 心配しないことがある　　　　　4 心配しないわけだよ

9 日本は朝だが、わたしの国と時差が5時間あるから、母はまだ寝ている（　　　　）。

1 べきだ　　　　　　　　　　　　2 ことだ

3 つもりだ　　　　　　　　　　　4 はずだ

10 来週の予定を（　　　　）、その日行けるかどうかお返事できません。

1 確認するのでは　　　　　　　　2 確認するなら

3 確認しようとしてから　　　　　4 確認してからでなければ

11 時間があればわたしにも意見を（　　　　）です。言いたいことがあったんです。

1 言わせてもらいたかった　　　　2 言ってもらいたかった

3 言ってくれたらよかった　　　　4 言わせたかった

12 病院に来た人「あのう、診察の申し込みはどうすればいいんでしょうか。」

病院の人　　「あ、初めてなんですね。では、あそこの窓口で（　　　　）。」

1 お参りください　　　　　　　　2 伺いませんか

3 おたずねください　　　　　　　4 お聞きしませんか

13 ぼくがいいかげんな気持ちだったら、親がこの結婚に賛成して（　　　　）。

1 くれるわけがない　　　　　　　2 あげるわけにはいかない

3 くれないわけがない　　　　　　4 あげないわけにはいかない

問題2　つぎの文の　★　に入る最もよいものを、1・2・3・4から一つえらびなさい。

14　祖父は子どもの＿＿＿＿　＿＿＿＿　★　＿＿＿＿わたしにくれた。

　　1　時計を　　　　　2　大切に　　　　　3　ときから　　　　4　していた

15　値段が高ければ＿＿＿＿　＿＿＿＿　★　＿＿＿＿というわけではない。

　　1　いい　　　　　　2　高い　　　　　　3　品質が　　　　　4　ほど

16　先生「君は、＿＿＿＿　＿＿＿＿　★　＿＿＿＿やることも考えなさい。」
　　生徒「はい、わかりました。」

　　1　手伝ってもらう　2　自分の力で　　　3　ほかの人に　　　4　ばかりでなく

17　この図書館で＿＿＿＿　＿＿＿＿　★　＿＿＿＿ようになっている。

　　1　本は　　　　　　2　コンビニでも　　3　返せる　　　　　4　借りた

18　彼に会って直接＿＿＿＿　＿＿＿＿　★　＿＿＿＿断られた。

　　1　会いたくない　　2　話し合おう　　　3　と言って　　　　4　としたが

問題3　つぎの文章を読んで、文章全体の内容を考えて、　19　から　23　の中に入る最もよいものを、1・2・3・4から一つえらびなさい。

「わたしが生まれた町」

　わたしが生まれたのは、海のそばの小さな　19　。この町の人はだいたい海に関係がある仕事をしています。わたしの父と祖父は船に乗って遠くの海まで魚を捕りに行っていますし、母は港の近くの工場で貝をむいています。小さな町なので、大きい病院やデパートなどはありません。必要なときは車で遠くまで行かなければなりません。ですから、大人になると、みんな町を出ていってしまいます。　20　。

　子どものころは、わたしの町はどの都市からも遠くて、どこにも簡単に行けないさびしい町だと思っていました。　21　、今では考えが変わりました。この町の人は、小さい子どもでも、世界のいろいろな港の名前やそこでどんなものが捕れるかをよく知っています。子どものときから、周りの大人に世界中の海の話を　22　育つからです。わたしたちは海の様子や捕れた魚の量を見て、地球の反対側の海の温度や、海水の流れなどを想像することができます。どこからも離れていると思っていたわたしの町は、実は、海の向こうの世界と　23　。

19　1　町です　　　　　　　　　　　2　町があります

　　3　町にあります　　　　　　　　4　町で生まれました

20　1　わたしもそれでした　　　　　2　わたしもそうでした

　　3　みんなもそうでした　　　　　4　みんなもその人たちでした

21　1　そこで　　　　　　　　　　　2　そのうえ

　　3　一方　　　　　　　　　　　　4　けれども

22　1　聞かれて　　　　　　　　　　2　聞かせて

　　3　聞かされて　　　　　　　　　4　聞いていって

23　1　つながったのです　　　　　　2　つながっているのです

　　3　つながるのでしょうか　　　　4　つながったのでしょうか

あ	
あ	134
〜<ruby>間<rt>あいだ</rt></ruby>…	16
〜<ruby>間<rt>あいだ</rt></ruby>に…	16

い	
いくら	93
<ruby>一方<rt>いっぽう</rt></ruby>	140
〜<ruby>一方<rt>いっぽう</rt></ruby>(で) …	24
<ruby>今<rt>いま</rt></ruby>に	92
<ruby>今<rt>いま</rt></ruby>にも	92

う	
<ruby>受身<rt>うけみ</rt></ruby>	128
〜うちに…	16
〜(よ)うとする	51

お	
〜おかげだ	31
〜おかげで…	31
おそらく	92

か	
が	136
〜かけだ	96
〜かける	96
〜がちだ	97
か(どうか)	104
〜かのようだ	70
〜かのように…	70
〜から…	30
〜から…にかけて	110
〜かわりに…	25

き	
〜きる	96
<ruby>禁止<rt>きんし</rt></ruby>(〜な)	46

く	
〜くする	84
〜くなる	84
くらい(ぐらい)[<ruby>軽<rt>かる</rt></ruby>い<ruby>程度<rt>ていど</rt></ruby>]	59、61
〜くらい…(〜ぐらい…)[<ruby>同<rt>おな</rt></ruby>じ<ruby>程度<rt>ていど</rt></ruby>]	22、59

〜くらい…はない(〜ぐらい…はない)	22
〜くらいだ(〜ぐらいだ)	22
〜くらいなら…(〜ぐらいなら…)	23

け	
<ruby>決<rt>けっ</rt></ruby>して	92
<ruby>謙譲語<rt>けんじょうご</rt></ruby>	52、53

こ	
こ	134
こそ	58
こと	66、69
〜こと	46
〜ことがある	66
〜ことから…	30
〜ことにしている	50、85
〜ことにする	50、84
〜ことになっている	85
〜ことになる	84
〜ことは〜が、…	39
〜ことはない	66

さ	
さえ	58
〜さえ〜なら…	32
〜さえ〜ば…	32
〜させていただきたい	44
〜させてほしい	44
〜させてもらいたい	44
さらに	140

し	
<ruby>使役<rt>しえき</rt></ruby>	128
<ruby>使役受身<rt>しえきうけみ</rt></ruby>	128
しか	61
しかも	140
<ruby>次第<rt>しだい</rt></ruby>に	92
したがって	140
<ruby>自動詞<rt>じどうし</rt></ruby>	122

す	
〜すぎだ	97

〜すぎる	97
少しずつ	92
少しも	92
すでに	92
する	84
すると	140

せ

〜せいだ	31
〜せいで…	31
せっかく	93
〜(さ)せていただきたい	44
〜(さ)せてほしい	44
〜(さ)せてもらいたい	44
ぜひ	93

そ

そ	134
そう	92
そこで	140
そのうえ	140
そのうち	92
そのため	140
それに対して	140
それも	140
尊敬語	52
そんなに	92

た

たいして	92
だが	140
だけ	59
〜出す	96
ただ[副詞]	93
ただ[接続表現]	141
ただし	141
他動詞	122
たとえ〜ても…(たとえ〜でも…)	33、93
〜たところだ	83
〜たばかりだ	81、83

〜たびに…	18
〜ためだ	30
〜ため(に)…[原因]	30
〜ために[目的]	73
〜たら…[事実とは違う]	33
〜たら…[仮定]	91
〜たら…た	88
〜たらいい	45
〜だらけだ	97
〜たらどうか	47

ち

ちょうど	93

つ

〜ついでに…	19
〜って	37
〜っぽい	97
つまり	140
〜つもりだ	51
〜づらい	97

て

〜てあげる	130
〜ていく	124
〜ていただきたい	44
丁寧語	53
〜ている	118
〜てからでないと…	17
〜てからでなければ…	17
〜てくる	124
〜てくれる	130
〜ては…	32
〜(の)では…	32
〜てばかりいる	80
〜てほしい	44
でも	58
〜てもらいたい	44
〜てもらう	130

と

と[引用]	104
〜と…[仮定]	91
〜と…た[事実に気づく・偶然起こる・〜をきっかけに起こる]	88
〜と…た[続けてする]	89
〜といい	45
〜という[〜だそうだ]	37
〜という[名詞を説明する]	108
〜ということだ	36
〜というのは…だ	67
〜というより…	25
〜というわけだ	74
〜というわけではない	38
〜といった	108
〜と言われている	36
どうか	93
どうも	92
〜通す	96
〜とおりだ（〜どおりだ）	18
〜とおり(に)…（〜どおり(に)…）	18
〜とか	37
〜ところ(＋助詞)…	17
ところが	140
〜ところだ	17
ところで	141
〜として…	63
〜とのことだ	36
〜とは限らない	38
どんなに	93

な

〜ないことはない	39
〜ないわけにはいかない	75
なぜかというと	140
なぜなら	140
など	59
〜(の)なら…	32

〜なら…	33
〜なら〜ほど…	19
なる	84
なんか	59
なんとかして	93

に

〜に限る	23
〜にくい	97
〜にしている	85
〜にする[状態を変える]	84
〜にする[決める]	84
〜に対して…[対比]	24
〜に対して…[行為・態度の対象]	62、65
〜に対する	62
〜について…	62、65
〜にとって…	63、65
〜になっている	85
〜になる[状態が変わる]	84
〜になる[決まる]	84
〜によって…[一定でない]	18
〜によって…[原因・手段]	30
〜によって…[受身文の行為をする人]	62
〜によっては…	18
〜による	30

の

の	66
〜のだから…	31
〜のでは…	32
〜のではない	38
〜のではないか	67
〜のではないだろうか	67
〜のなら…	32
〜のに(は)…	67
〜のは…だ	67
〜のようだ	70、97、99
〜のように…	70

は

は	136
〜ば…［事実とは違う］	33
〜ば…［仮定］	91
〜ばいい	45
〜ばかり…	80
〜ばかりだ	81
〜ばかりでなく…	80
〜は…ことだ	66
〜はずがない	38
〜はずだ	77
〜ば〜ほど…	19
〜はもちろん…も	110
〜反面…	24

へ

〜べき	47
〜べきだ	47
〜べきではない	47

ほ

〜ほど…	22
(〜ば・〜なら) 〜ほど…	19
〜ほど…はない	22
〜ほどだ	22

ま

ますます	92
また	140
または	140
全く	92
まで	59、61
まるで	93
万一	93
万が一	93

み

〜みたいだ	97、99

め

命令(しろ)	46
めったに	92

も

も	58、61
〜も…なら〜も…	89
〜も…ば〜も…	89
もしかしたら	92
もしかすると	92
もしも	93
物	69

や

〜やすい	96

よ

〜よう…	71
〜(かの)ようだ	70
〜ようとする	51
〜ように…［期待］	71、73
〜ように…［大体同じ・例を示す］	70
〜ように…［前置き］	71
〜ように…［要求］	71
〜(かの)ように…	70
〜ようにしている	50、85、87
〜ようにする［習慣的に心がける］	50、85
〜ようにする［目的のために変化を起こす］	85
〜ようにと…	71
〜ようになっている	85、87
〜ようになる	85

ら

〜らしい	97、99

わ

〜わけがない	38
〜わけだ	74、77
〜わけではない	38
〜わけにはいかない	74

を

〜を…として	110
〜を…に	110

著者
友松悦子
　　　元拓殖大学留学生別科　非常勤講師
福島佐知
　　　拓殖大学別科日本語教育課程、亜細亜大学全学共通科目担当、東京外国語大学留学生日本語教
　　　育センター　非常勤講師
中村かおり
　　　拓殖大学外国語学部　准教授

翻訳
英語　Ian Channning
中国語　賈黎黎　黄英兰

イラスト
柴野和香

装丁・本文デザイン
糟谷一穂

新完全マスター文法　日本語能力試験N3

2012年8月1日　初版第1刷発行
2017年7月3日　第 7 刷 発 行

著　者　　友松悦子　福島佐知　中村かおり
発行者　　藤嵜政子
発　行　　株式会社スリーエーネットワーク
　　　　　〒102-0083　東京都千代田区麹町3丁目4番
　　　　　　　　　　　トラスティ麹町ビル2 F
　　　　　電話　営業　03 (5275) 2722
　　　　　　　　　編集　03 (5275) 2725
　　　　　http://www.3anet.co.jp/
印　刷　　萩原印刷株式会社

ISBN978-4-88319-610-4　C0081

新完全マスター 文法 日本語能力試験 N3

別冊

解答

スリーエーネットワーク